O sucesso está no *EQUILÍBRIO*

Caro amigo Luis Eduardo,
Sucesso sempre... com Equilíbrio.
Com carinho WOW!
Robert Wong
2005

CÓPIA NÃO AUTORIZADA É CRIME
ABDR
ASSOCIAÇÃO BRASILEIRA DE DIREITOS REPROGRÁFICOS
RESPEITE O DIREITO AUTORAL

ROBERT WONG

O sucesso está no *EQUILÍBRIO*

Edição de textos: Marco Roza
Copidesque e revisão gráfica: Hebe Ester Lucas
Capa: Casa de Idéias
Ilustrações de miolo: Marjorie Aun
Projeto gráfico: Neide Siqueira
Editoração eletrônica: Join Bureau

Elsevier Editora Ltda.
A Qualidade da Informação
Rua Sete de Setembro, 111 – 16º andar
20050-006 – Rio de Janeiro – RJ – Brasil
Telefone: (21) 3970-9300 – FAX: (21) 2507-1991
E-mail: info@elsevier.com.br
Escritório São Paulo:
Rua Quintana, 753/8º andar
04569-011 – Brooklin – São Paulo – SP
Telefone: (11) 5051-8555

ISBN 85-352-1430-5

Central de atendimento
Tel.: 0800-265340
Rua Sete de Setembro, 111, 16º andar – Centro – Rio de Janeiro
e-mail: info@elsevier.com.br
site: www.campus.com.br

CIP-Brasil. Catalogação-Na-Fonte
Sindicato Nacional dos Editores de Livros, RJ.

W852s
Wong, Robert, 1948-
O Sucesso está no equilíbrio / Robert Wong. – Rio de Janeiro: Elsevier, 2006.

ISBN 85-352-1430-5

1. Sabedoria. 2. Autodomínio. 3. Autoconsciência. 4. Sucesso. I. Título.

05-3358 CDD 158.1
CDU 159.947.3

05 06 07 08 5 4 3 2 1

Sumário

Prefácio 9
A trilogia da sabedoria 15
Natural e normal 31
Autoconhecimento 45
A trilogia do equilíbrio 57
A trilogia da vida 67
A trilogia do desequilíbrio 85
A trilogia para os filhos 97
A trilogia do sucesso profissional 109
A trilogia dos 3 Cs 123
A trilogia do trabalho 137
A trilogia do sucesso pessoal 151
A trilogia da promoção 169
A trilogia da iluminação 185
Posfácio 205

Agradecimentos

Uso a expressão "muito agradecido!" consciente e deliberadamente em vez de "muito obrigado!". Pois não me senti **obrigado** a escrever este livro, tampouco quero que o leitor se sinta obrigado a lê-lo. Pelo contrário, foi muito agradável colocar no papel meus pensamentos e idéias que, por sinal, simplesmente tomei emprestados da sabedoria coletiva do universo que nos cerca e espero sinceramente que eu esteja agradando ao leitor tanto quanto ele me agrada ao compartilharmos este "bate-papo". Vamos receber **graças** um do outro. Por isso, a expressão mais apropriada neste momento é "muito agradecido!".

Agradeço em particular aos meus saudosos pais, que tanto me ensinaram e continuam ensinando, aos meus familiares e à minha querida família, que são a motivação maior da vida, aos meus mestres, colaboradores e amigos, presentes ou não, e que não preciso apontar nominalmente, pois eles sabem quem são. Estou onde estou hoje graças em grande parte a vocês.

Dedico este livro a todos vocês e ao bom Deus, como parte da quitação da imensa dívida que tenho pelo zelo, carinho, amor, palavras de incentivo, momentos de silêncio, risadas, choros, prazeres, sofrimentos e especialmente pelas lições de vida que recebo a cada instante nesta maravilhosa jornada chamada **vida.**

Muito agradecido, de corpo, mente e alma!

Robert Wong

Prefácio

Este livro fala de trilogias.

E por este motivo há três prefaciadores.

Tento ser uma conhecedora de intenções finais das pessoas. Talvez em função do meu treino como psicóloga, insisto em captar meus interlocutores em toda a sua densidade. Foi assim meu contato com Robert Wong. Afinidade no primeiro aperto de mão.

Descobri que o Robert Wong caminha pelas mesmas trilhas que eu no que se refere ao interesse pelo potencial das pessoas. Ele tem um padrão WOW! de dedicação criativa que contagia todos à sua volta.

Este livro confirma todas as minhas expectativas. Robert Wong escreveu uma obra que é referência para a alma das pessoas, independente das funções que exerçam, da idade e da classe social. Para ele, o Universo é mais facilmente captado ao combinarmos nosso intelecto, nosso instinto e nossa intuição. Por isso, o livro pulsa.

É uma obra carregada de cenários WOW! Que deve ser mantida sempre ao alcance do nosso coração e de nossas reflexões.

É trabalho iluminado de um executivo e pensador que irradia energia, convicção e criatividade. Recomendo um contato direto com Robert Wong. Se não for possível, leia *O sucesso está no equilíbrio*.

Viviane Senna

Robert Wong pode se considerar uma pessoa realizada: plantou sua árvore, criou seus três filhos com a parceria da sua esposa e agora está lançando seu livro, *O sucesso está no equilíbrio*. Sua obra literária aborda, com elegância e suavidade, a necessidade de as pessoas pensarem de maneira integral sobre suas vidas. Em outras palavras, o livro faz com que as pessoas pensem mais no "todo" de suas vidas.

Neste livro, Robert Wong ressalta a importância de se buscar um equilíbrio interior saudável, que chama de iluminação, para conseguirmos uma vida mais feliz e mais plena. Esse processo passa por todas as esferas da atividade humana: é preciso equilibrar a vida profissional (o trabalho), a vida pessoal (vida social e amorosa) e a vida espiritual (valores e religião). Só assim, creio, o ser humano captará a sua plenitude. E Robert Wong, baseado em sua experiência pessoal, recupera e combina essa busca numa trilogia de culturas (a chinesa, a anglo-saxônica e a brasileira) para nos mostrar, passo a passo, que o desenvolvimento exagerado de qualquer uma dessas três áreas em detrimento das outras traz o desequilíbrio.

Ao buscarmos uma relação equilibrada, sob o aspecto da iluminação, acredito que conseguiremos também aprender a lidar com nossas expectativas e perceber que somos parte de um "todo". Filhos legítimos de um universo que, muitas vezes, no estado de desequilíbrio, tendemos a deixar de valorizar.

O sucesso está no equilíbrio é o passo primordial para que possamos equilibrar todos os aspectos da nossa vida, seja o lado profissional, integrado com nossos compromissos pessoais, seja nosso sistema de convicções e valores.

Roberto Setúbal

Era uma segunda-feira, entre Natal e Ano Novo: 27 de dezembro de 1999. Véspera do chamado Réveillon do Milênio, entrada do ano 2000, que, embora ainda não fosse o novo milênio ou século, era assim erroneamente chamado e celebrado.

Meu coração estava tumultuado e minha razão seriamente desafiada. Havia recebido poucos dias antes um pré-diagnóstico que apontava a hipótese de estar com um linfoma no pulmão. Achava que iria morrer.

Cheguei cedo à sede da Korn/Ferry, no edifício do clube Transatlântico, em São Paulo. A alegria era geral em todo o andar, era o dia em que os filhos dos funcionários visitavam a empresa. Era criança por todo lado, doce ambiente, clima de felicidade, havia sido Natal e agora o novo ano estava por vir e as crianças brincavam felizes nos escritórios de pais e mães.

Minha visita tinha uma finalidade nada agradável. Precisava comunicar que estava sob risco, que teria de fazer uma série de exames, quem sabe até uma biópsia e, se a suspeita do médico se confirmasse, sabe-se lá o que seria de mim. Logo, queria deixar o Robert Wong e seus sócios livres para desistirem de minha contratação. Era dolorido ter de lhes dizer que, após terem se decidido por mim, ao final de um longo processo para contratar um possível novo sócio, eu não achava justo que eles contassem comigo sob tamanha suspeita.

Para minha surpresa, Robert me disse que eu deveria falar com seu sócio, Paul Levison, pois ele havia se tratado e curado de um câncer de pulmão, anos atrás. Robert me dissera que, embora o tratamento do Paul tivesse sido sofrido e duro, ele nunca deixara de trabalhar. Ao contrário, acreditava que o trabalho havia lhe ajudado na terapia e que eu poderia considerar a proposta firme, com diagnóstico positivo ou negativo.

Só eu sei o que foi para minha razão e alma, ouvir, tanto de Robert como de Paul, que meu lugar estaria ali independente de qualquer condição clínica. Acho que esse é o verdadeiro "genuíno interesse pelas pessoas" a que Robert credita sua entrada no mundo dos headhunters.

Meu diagnóstico, felizmente, resultou negativo para a suspeita de câncer. O que eu tive foi uma doença meio rara, chamada de sarcoidose, curável com corticóides, já no passado.

Voltei à Korn/Ferry para dizer que, apesar de todo meu reconhecimento pela oferta e apoio, não me juntaria à eles; queria trabalhar com educação, dedicar-me à HSM, a minhas aulas, palestras e livros.

Foi uma das mais difíceis conversas profissionais que eu já tive e, para minha surpresa, Robert me disse: "Se sua voz interna te diz isso, é isso o que deve fazer. Sinto pela Korn/Ferry, você seria um bom headhunter, mas você deve buscar sua verdadeira vocação". Era Robert invocando o que hoje, neste livro, chama de trilogia da iluminação.

Fui para a HSM e logo resolvi que deveria fazer uma entrevista com ele para a nossa revista *HSM Management*, num espaço supernobre, chamado "Pensamento Nacional". Tinha certeza de que Robert traria o que o leitor gostaria de ler e aprender: equilíbrio!

Não por menos, coloquei o título na entrevista de "O sucesso está no equilíbrio", hoje usado no seu primeiro livro, de um Robert que trabalha com educação, faz palestras e escreve.

Se um dia recorri a ele e fui recebido de braços abertos, agora eu o referencio e lhe dou as mais calorosas boas-vindas ao mundo da educação, das letras e do prazer em compartilhar conhecimento.

E a você, leitor, a certeza de ter nas mãos um bálsamo de sabedoria, reflexões profundas e receitas para viver e trabalhar melhor. Algo que só uma pessoa nada convencional, sensível e multicultural como Robert poderia nos oferecer.

Boa leitura!

Carlos Alberto Júlio

A TRILOGIA DA SABEDORIA

Como usar a trilogia da sabedoria com a trilogia essencial para realizar seu potencial como ser humano agora.

"Nada lhe posso dar que já não exista em você mesmo.

Não posso abrir-lhe um mundo de imagens, além daquele que há em sua própria alma.

Nada lhe posso dar a não ser a oportunidade, o impulso e a chave.

Eu o ajudarei a tornar visível o seu próprio mundo, e isso é tudo."

Hermann Hesse

Por que este livro é seu

Estas páginas documentam minha ação de repartir com você a sabedoria que acumulei sob a influência de três grandes culturas. Sou a combinação, à brasileira, da sabedoria oriental com o pragmatismo ocidental.

A **sabedoria** não é privilégio apenas dos sábios. Ela surge de uma combinação criativa entre as teorias e as práticas que assimilamos durante a vida.

É a sabedoria que nos torna, enquanto homens e mulheres, a referência de todos os seres vivos da Terra. Porque, humanos, avançamos muito além da informação. A informação só tem potencial quando está contida no banco de dados de um computador ou mesmo aqui, nas páginas deste livro.

A informação, tão amplamente disponível, só vira **conhecimento** se você a assimilar, ou seja, se colocá-la dentro de si e, com sua vida, realizar o potencial nela contido.

Da mesma forma, os acontecimentos e eventos no nosso dia-a-dia – a discussão com um ente querido, a bronca do chefe, a agradável surpresa do filho – só têm valor na medida em que tiramos uma lição dos mesmos. Aí eles viram **experiência**.

Ao interagir com o conteúdo do meu livro, como faz com os relacionamentos e eventos de que participa, você, apenas você, poderá transformá-lo em experiência.

Grande acúmulo de conhecimentos ou experiências não o torna um sábio. Você ganha, apenas, o status de especialista, que prolifera em nichos burocráticos de grandes corporações, universidades e governos.

A grande mágica é juntar a teoria (conhecimento) e a prática (experiência), a intenção e a ação, numa coisa riquíssima chamada sabedoria.

Minha intenção neste livro é me associar a você no desenrolar destas páginas. Vincular-me ao seu conhecimento e à sua experiência, o que nos permitirá acumular uma sabedoria muito acima da média.

Um ditado chinês nos ensina que, quando duas pessoas negociam um cavalo, uma delas leva o animal. A outra, o dinheiro ou a mercadoria equivalente à troca. Quando trocam seus conhecimentos ou sua experiência, as duas ganham em dobro, pois cada uma delas leva para casa duas idéias.

A trilogia da minha formação cultural

Sou uma mistura acidental de três culturas, que foram absorvidas e combinadas num período de transformações recentes da nossa história. Nasci na China em 3 de março de 1948. Em 1º de outubro de 1949, Mao Tse-tung assumiu o poder.

Meu pai era general do governo que foi vencido pelos comunistas. Nossa família – meus pais e mais oito filhos – mudou-se para Hong Kong em 1949. Dois anos depois, imigramos para o Brasil, país que nos recebeu de braços abertos e ao qual sou muito grato.

Fiz o ensino básico e o *high school* numa escola americana no Brasil. Estudei Engenharia Civil na Escola Politécnica da Universidade de São Paulo. Posteriormente, fiz pós-graduação na Inglaterra e curso de complementação na Harvard Business School.

Tive uma carreira eclética, que me levou a ocupar posições tais como engenheiro de obras, gerente internacional numa empreiteira e gerente geral de um *pool* de empresas brasileiras na China. Fui também "caçado" por headhunters que me ofereciam novos desafios. Até que em certa ocasião, um headhunter me convidou a ser um caça-talentos.

As razões que me foram apresentadas para "mudar de lado" eram a minha qualificação, a credibilidade, a boa formação e as credenciais. O fato de falar várias línguas foi muito importante. Mas o determinante, acredito, foi o que classificaram como "genuíno interesse pelas pessoas".

Aos 36 anos, iniciei uma carreira que me fez interagir com talentos humanos. Tornei-me um especialista em identificar e selecionar talentos para as grandes corporações, nacionais e multinacionais. Aprendi o valor de condensar pelo menos três grandes culturas: a chinesa, a ocidental – no seu formato anglo-saxão – e a brasileira. Com este livro, compartilho com você essa combinação multicultural.

A estratégica combinação de sabedorias

Basta estarmos atentos aos noticiários e valorizaremos a estratégica combinação, à brasileira, da sabedoria oriental com o pragmatismo ocidental. Hoje, Estados Unidos, China e Brasil são três gigantes que têm e terão grande importância estratégica no futuro do mundo nos próximos 50 anos. Pelo território e seus recursos naturais. Pela posição geográfica e por sua população. E, principalmente, pela cultura característica de cada um dos seus povos.

Você, como brasileiro, acrescenta ainda uma dimensão de transcendência a essas sabedorias combinadas. O cidadão brasileiro tem como diferencial transformador a esperança.

No meu relacionamento profissional com executivos do mundo inteiro, a esperança do nosso povo causa inveja.

Alguns diretores de multinacionais que conheci insistem em voltar para o Brasil depois de terem trabalhado aqui um período. As justificativas passam longe do samba, do futebol e das praias. Querem se contagiar de novo com nosso calor humano e, especialmente, com a nossa esperança, em que cada dia é um novo dia.

Recuperar a sabedoria

Somos bombardeados por informações de todos os lados. Pesquisas do professor Karl Küpfmüller, da Universidade Técnica de Darmstadt, na Alemanha, concluíram que recebemos entre dez milhões e cem milhões de bits de informações por segundo.

Cada letra que você absorve na leitura deste texto consome dois bits por segundo. Um livro de 200 páginas tem por volta de

450 mil caracteres, ou 900 mil bits. Recebemos, então, entre 11 e 111 livros de informações por segundo.

Usamos, na recepção desses dados, todos os cinco sentidos. Nossos olhos processam um mínimo de dez milhões de bits por segundo. Os ouvidos, cem mil. A pele, um milhão. O paladar, mil e para cheirar processamos cem mil bits por segundo.

E, apesar disso, nossa consciência só processa um máximo de 50 bits de informações por segundo, de acordo com a mesma pesquisa, citada no livro *The User Illusion*, de Tor Norretranders, Editora Penguin Books.

Ou seja, no nosso relacionamento com as outras pessoas, seja ensinando, lendo ou falando, quando pensamos para aprender, escrever ou ouvir, só processamos, repito, o máximo de 50 bits de informações por segundo.

Isso nos obriga a nos valer da mente e do "sexto sentido", como condição para diminuir os ruídos causados nos canais de comunicação convencionais, que tendem a nos abarrotar de informações.

Por isso, acredito que recuperar a sabedoria é nos colocar de corpo inteiro, ações e intenções, teoria e prática, no fluxo do mundo em que vivemos. Combinar a plenitude da intuição com imaginação e criatividade para flutuar acima – e ao mesmo tempo apoiado – na enxurrada de informações que as várias gerações e culturas diferentes nos oferecem. Aprender a lidar com as informações e experiências como os gênios da humanidade.

Gênios como Isaac Newton e Albert Einstein, por exemplo, que, por meio da intuição, da imaginação e da criatividade, construíram um novo mundo a partir de uma realidade até então não compreendida pela humanidade.

Isaac Newton estava sentado debaixo de uma macieira quando teve o insight da teoria da gravidade universal, que desenvolveu, em 1687, no livro *The Mathematical Principles of Natural Philosophy*. Se a maçã tivesse caído na minha cabeça, eu provavelmente a comeria. Isaac Newton percebeu a relação da queda da fruta com a atração entre os planetas.

Na mesma toada genial, 218 anos depois, Albert Einstein formulou, em 1905, a Teoria Especial da Relatividade, aos 26 anos de idade. Estabeleceu a relação entre massa e energia, explicou o efeito fotoelétrico e criou a Teoria Geral da Relatividade.

Os dois gênios provaram que a intuição, a imaginação e a criatividade só têm valor se a gente consegue criar alguma coisa com elas. A gravidade já existia. Ao entendê-la com a ajuda de Newton, fomos capazes de prever a movimentação dos planetas e, 282 anos mais tarde, dar um imenso passo em termos de conquistas da humanidade, com a chegada do homem à Lua, em 1969.

A partir da genialidade de Einstein vivemos hoje rodeados por equipamentos comandados por células fotoelétricas. Sem contar o fabuloso poder que arrancamos da natureza ao controlar a energia atômica.

Busca do sucesso

Ao misturar as três culturas, vou tentar estabelecer com você uma nova aliança na busca do sucesso para sua vida emocional, familiar e profissional.

Assumo este compromisso, pois aprendi que amar é compartilhar. Portanto, só ama de verdade quem tem algo para dar. Este livro é um ato de amor realizado junto com você.

É a entrega incondicional que aprendi a desenvolver, baseada na autoconfiança e no autoconhecimento, motivado pela busca constante de sabedoria.

Trilogia essencial

Aos poucos assumiremos, neste século 21, a nossa plenitude humana. No século passado fomos reduzidos a partes humanas dos sistemas de produção. Infelizmente, uma das imagens que ficará registrada em nosso imaginário é a de Charles Chaplin no meio das engrenagens, do filme *Luzes da cidade*.

As mesmas engrenagens fortaleceram as burocracias e ditaduras nos diversos cantos do mundo. Mesmo assim, demos, em um século, um salto que superou as conquistas de todos os milênios anteriores da evolução da humanidade.

Ao nos valer da grande interação humana que a tecnologia moderna criou, temos, a partir deste século que se inicia, a oportunidade de perceber que somos uma trilogia essencial.

Três essências em um só corpo

Somos homens e mulheres plenos. Mantemos vivos, conscientemente ou não, a criança que fomos e que nos vincula, ainda que tenuamente, ao presente. Sim, a cada riso solto, a cada olhar tranqüilo e sereno, está ali a criança que somos. Ao mesmo tempo, nossas almas feminina e masculina garantem o equilíbrio intuitivo da espécie humana, vocacionada para vencer.

Três almas em um só corpo. A isto chamo de trilogia essencial. A feminina, a masculina e a criança que dançam, em ciranda, em torno do que definimos como identidade social.

Dar voz ao nosso Eu

O condicionamento da burocracia a que fomos submetidos, especialmente ao longo do século passado, nos faz dar voz, apenas, às funções sociais. **Sou** diretor-presidente. **Sou** pediatra. Agimos assim porque abandonamos as interfaces espirituais que nos sustentam, no mesmo corpo, como mulheres, homens e crianças. E que constituem nosso Eu interior.

Se respeitássemos integralmente nossas almas, diríamos uns para os outros: **estou** executivo, **estou** pediatra. Reservaríamos a síntese de nossa trilogia espiritual para apresentar tão-somente nossa essência. Quando me apresento em eventos, digo: "Sou Robert Wong. Estou executivo".

Criança equilibrista

A criança em nós foi, ao longo dos anos, abafada por nãos e proibições. Abafamos nossa alma infantil e desequilibramos, anos depois, nossos lados masculinos e femininos. E, ao caminhar para recuperar nossa plenitude, sentimos falta da intuição que só a ciranda da trilogia essencial, em nós, nos garantiria.

Por isso, caminhamos claudicantes. Mesmo diante das conquistas extraordinárias do último século, quando olhamos para trás percebemos que nos falta, muitas vezes, o equilíbrio da trilogia. Temos, às vezes, a sensação de que vagamos pela vida, envolvidos pelas circunstâncias, sem muito rumo do caminho a seguir. Quando não sabemos qual é o nosso caminho, qualquer caminho serve.

A vida perde a graça sem o riso infantil que suprimimos lá atrás. Sem a intuição, perdemos os vínculos viscerais com os amigos, os amantes e a família. E fragilizamos nossa identidade social.

Até decidirmos que o sucesso está no equilíbrio.

No equilíbrio da trilogia que nos sustenta. No equilíbrio apoiado no autoconhecimento, que traz na sua esteira a autoconfiança, a característica mais importante para o sucesso.

Sucesso estimulante

Você percebe que temos pela frente uma tarefa estimulante.

Cedemos demais aos condicionamentos ao nosso redor. No afã de sobreviver a qualquer custo, entregamos de bandeja nossa integridade e nossas iniciativas. E, o pior, mesmo sofrendo e querendo reagir, muitas vezes não sabemos como escapar das atitudes reativas.

Avalie como você ou a maioria das pessoas ao seu redor sobrevive, por exemplo, como sua vida profissional se desenvolveu. Foi mais ou menos assim: de engrenagem em engrenagem, de condicionamento a condicionamento, que o primeiro emprego o achou. E as promoções subseqüentes. Da mesma forma, consolidou a carreira. Como também chegaram as ordens, nem sempre apoiadas no bom senso. A insegurança no emprego. A eventual demissão.

São as atitudes reativas aos valores materiais, fundamentalmente, que nos submetem às grifes e aos símbolos de status. A ponto de, muitos de nós entregarmos as almas na busca insensata de valores materiais num futuro geralmente desvinculado do nosso equilíbrio essencial.

Dar a volta por cima

Temos a oportunidade de recuperar nossa capacidade de dançar uns com os outros. Dentro de nós ainda resistem os genes que nos faziam bailar em grupo em torno das fogueiras. Uma dança que nos destacava, pela primeira vez, dos demais seres vivos do planeta. Éramos, então, naturais. Respeitávamos as leis absolutas da natureza.

Evoluímos e nos tornamos escravos das normas sociais. Absorvemos o vírus que nos arranca do próprio presente. Abafamos o olhar curioso, o aprendizado multifacetado e o pleno direito de estar no mundo, percebido pela criança em nós.

Apegados aos símbolos sociais, concentramos nossa atenção no futuro ou nos apoiamos no passado. "Meu sonho é comprar o carro do ano." "Quem manda nesta casa sou eu." Esnobamos a riqueza que só o presente pode nos "presente-ar", por puro distanciamento da nossa trilogia essencial.

Tornamo-nos reféns de um passado que não nos permite, nem mesmo, resgatar as gargalhadas infantis. E, ansiosos, desperdiçamos nossas energias no altar do futuro. Um deus inconseqüente, cego e mal-agradecido.

Para reconquistar o equilíbrio perdido, temos de reaprender, com urgência, a viver com mais naturalidade e menos normalidade. Recuperar a auto-estima, a autoconfiança e a plenitude de nossas vidas.

A ciranda do presente

Se você quer recuperar a sabedoria ancestral que está registrada em cada etapa de sua evolução, concentre-se no seu tempo presente. Ao cedermos o controle de nossas vidas para as burocracias de plantão, entregamos também as certezas antes sustentadas por nossas esperanças.

Basta que você preste atenção à economia ao seu redor. Aos sistemas de troca ou aos pregões das bolsas de valores. Na dança absoluta pela vida, é o presente que se impõe. É no presente que a mercadoria troca de mãos. O pagamento é feito. Um contrato é fechado. Um bebê é concebido. Ouve-se um poema. O amor é trocado. Você me lê. A vida é vivida.

Uma vida plena

Só no presente você plantará o seu próprio sucesso, seja ele pessoal, profissional, social ou espiritual. Porque o presente sustenta as emoções. E é a sua emoção que dá sentido à sua vida. Você já deve ter percebido, muitas vezes, que a emoção de amanhã é apenas ansiedade. E que a de ontem é apenas recordação. Ou culpa.

Para recuperar a percepção do presente, você deve, contudo, permitir que sua trilogia essencial se manifeste. É o dinamismo das três almas, masculina, feminina e infantil, que o ajudará a se conhecer melhor.

Você perceberá, em lapsos de lucidez, motivado principalmente por sua alma infantil, que o sucesso é construído com a intensidade do nosso presente. Só então descobrirá que o futuro é uma ficção. Como o passado, mesmo quando acumulamos resultados, é apenas recordação. Que o hoje é uma dádiva, por isso é chamado de presente.

Aos poucos, mais sábio e menos claudicante, você descobrirá como, a partir do presente, construir uma vida de sucesso. Um sucesso que inclui e, ao mesmo tempo, supera os bens materiais.

Ao intensificar sua energia no presente, você ampliará seu potencial. Escolherá, preferencialmente, o lado extraordinário da vida, deixando o "ex-ordinário" de lado, pois terá recuperado a plenitude de sua trilogia essencial.

Seguro do seu presente e de si, valerá a pena ser intenso. Desde o primeiro aperto de mão. Modulará suas palavras com o coração. Exalará um calor contagiante. E gargalhará, como as crianças, com o corpo inteiro. A vida inteira. Entregar-se-á com a alma lavada ao projeto que defender.

Sábio, neste século em que a tecnologia devolve o poder às suas mãos, você transformará em extraordinário tudo o que tocar. Será de tal maneira contagiante que uma eventual vaga será sua. Hoje. Como a empresa será dirigida por você, amanhã.

O fator WOW!

Ao se entregar radicalmente ao presente, você se conectará às novas aldeias globais formadas por homens e mulheres que constroem o próprio sucesso. E, ao mesmo tempo, se manterá integrado à sua família e ao seu ambiente social e econômico. Provará, finalmente, que o sucesso vem do equilíbrio de sua interação, em tempo real, com as pessoas ao seu redor.

Será amigo do peito. Mãe absoluta. Filho dedicado. Líder de pessoas.

Sábio e criativo, você se tornará a referência para a mudança. Terá o que defino como fator WOW!

Que o torna, no presente, homem ou mulher que constrói o próprio sucesso e o das suas equipes. Consegue tal equilíbrio na sua vinculação com a própria época que se torna para suas famílias, seus parceiros, clientes e amigos, o suporte para mudar o mundo.

Entrego este livro como resultado do meu amor incondicional a você, que percebe, intuitivamente, que pode acrescentar o fator WOW! à sua vida. Tornar-se um ser humano extraordinário. E reproduzir em cada atitude a dança de nossas almas com o Universo e com os mundos e vidas de nossos familiares, amigos e parceiros.

Pontos para reflexão – Como usar a trilogia da sabedoria com a trilogia essencial para realizar seu potencial como ser humano agora.

- **Sabedoria** – A informação, seletivamente internalizada, vira conhecimento. O evento, do qual tiramos uma lição de vida, vira experiência. A primeira é a teoria, o segundo, a prática. A junção dos dois transforma-se numa coisa mágica chamada sabedoria.
- **Trilogia essencial** – Somos a combinação de três identidades, a masculina, a feminina e a criança, que devem conviver em harmonia e em respeito à naturalidade.
- **A ciranda do presente** – Viva o presente com plenitude, pois só agora você pode realizar seus sonhos, não no passado nem no futuro. Só no agora.
- **O caminho a seguir** – Não há certo, nem errado. O caminho certo é o seu caminho.
- **O fator WOW!** – Faça tudo WOW! Abrace com WOW! Sorria com WOW! Viva WOW!

NATURAL E NORMAL

Como usar seu conhecimento ancestral e ser natural mesmo num coffee-break de uma reunião de diretoria e, ao mesmo tempo, manter a etiqueta e seguir as normas sociais.

Caminhar bêbado de vida

Acompanhe os primeiros passos de um bebê. É maravilhoso observar a criancinha se levantar sobre o passado inteiro da humanidade e caminhar para a frente. Com olhos presos no seu presente.

Trôpega no início, busca, com os bracinhos abertos, uma sustentação que não encontra no ar ao seu redor. Mesmo assim avança, equilibrista, bêbada de vida. Mais outro passo. E os pais, tensos, temem o tombo. Torcem. Riem. Estimulam.

Outro passo, agora mais firme. O seguinte. E, cambaleante, a criança avança. Aumenta as distâncias. Evita os móveis. Entra em sintonia com o ambiente. Mas só vai andar como nós, adultos, quando conseguir ela mesma estabelecer o equilíbrio entre suas referências internas e o mundo ao seu redor.

Subirá escadas, escalará montanhas, vencerá grandes distâncias e obstáculos.

Mas, antes de conquistar o mundo, aprenderá a falar. E, para falar, aprenderá a ouvir. Um bom par de orelhas para uma boca. Primeiro ouve todas as falas. Depois emite ruídos e meias palavras.

Então, fala: "mamãe", "papai", "ar", "água", "terra", "fogo". Dispara as perguntas para checar se está entendendo direito o mundo em que cresce. E, em determinado momento que não sabemos precisar, se torna uma pessoa falante.

Por meio da fala inicia sua caminhada para se tornar um ser humano pleno. E abre caminho para a vida. Criança, adolescente e depois você. Insere-se no universo dos relacionamentos humanos. Conversa, troca idéias, disputa posições, explica, ensina e, principalmente, compara suas idéias com a realidade que ajuda a transformar.

Você vive num ambiente tão acelerado que às vezes nem avalia os grandes saltos que reproduz para a humanidade a cada vez que conversa com uma pessoa ao seu lado. Quando elogia o brinco novo de sua mulher. Ao defender um tratamento digno para uma pessoa que nem conhece. Ao ocupar a tribuna e apresentar uma palestra para seus pares. Em cada evento você recupera milhões de anos da evolução da nossa espécie.

Pense, por um instante, no mecanismo da fala. As palavras reproduzem, com os acertos e erros, o conteúdo do seu jeito de ser. Seu estilo de vida, sua cultura, seu país e até mesmo a região do país em que vive. O seu jeito de falar reproduz, parcial ou plenamente, a sua alma.

Talvez seja por isso que os detectores de mentira que vemos no cinema tenham se desenvolvido em torno do ato de falar. Você não consegue se esconder atrás das palavras, a não ser que tenha conseguido um treino excepcional para camuflar suas emoções, como os atores profissionais e os políticos.

Em uma pequena pausa para meditar, você vai perceber que o ato de falar o ajuda a se integrar à família e ao meio ambiente. A interagir com seus colegas de trabalho, a liderar equipes, a assumir a própria vocação.

Falar é uma ferramenta essencial para que você traduza para seus pares as milhares de informações ao seu redor. É por meio do verbo, o reflexo do espírito de Deus em nós, que você entrará em sintonia com seus amigos e parceiros, com sua época e até mesmo com sua história.

Terá a chance, e todos nós temos, de ser uma pessoa extraordinária. Veja o exemplo dos sábios que mudaram o mundo, como Cristo, Buda, Lao Tsé e Moisés. Eles captaram suas mensagens por meio de um equilíbrio intenso com o mundo de suas épocas. E souberam traduzi-las através de palavras simples para um grande número de seguidores. Por isso, seus ensinamentos são atemporais e ainda fazem todo o sentido do mundo para nós.

Os vínculos com o mundo

Você se insere no mundo através das palavras. Suas e dos outros. Descobre rapidamente que as palavras, para se manter vivas, dependem umas das outras. Com a prática, aprende que, para definir o bem, dependerá do mal. Que a palavra "alto" traz na mente "baixo". O sucesso, o fracasso. O dia, a noite. E assim por diante.

A sabedoria oriental nomeia esses opostos complementares como yang e yin. O masculino e o feminino. O céu e a terra. Milhares de anos se passaram sem que o Ocidente percebesse na essência o valor desses ensinamentos. Só recentemente, a partir do início do século passado, estudiosos ocidentais começaram a estudar e a divulgar o Tao, que é a síntese dessa sabedoria ancestral oriental.

Um exemplo é C.G. Jung, que revolucionou a psiquiatria ocidental ao incluir em sua obra a sabedoria oriental do yin-yang. "O sábio chinês diria que, quando o yang alcança sua força máxima, nasce em seu interior a força obscura do yin, pois ao meio-dia começa a noite, e yang se fragmenta, tornando-se yin."

Jung se apoiou, muito provavelmente, na filosofia de sábios chineses como Sun Wen, que escreveu: "Yin-yang é o caminho do céu e da Terra, o princípio fundamental da infinidade de coisas, o pai e a mãe da transformação, a raiz do início e da destruição".

Só merecemos o verão se suportarmos com bravura o inverno, dizem os ingleses. O dia começa a virar noite com o sol a pino. E cada minuto da noite se desdobra em seqüências que nos confirmam vivos e interativos.

Você se sente um poeta ao perceber a virada da sombra quando o sol atinge seu clímax. Com poesia na veia, antecipa a tarde, o pôr-do-sol e se prepara para as etapas da noite. Até que a aurora premie sua persistência e você ganhe mais um dia nesta Terra maravilhosa.

Cada palavra nos apresenta ela mesma e a outra, que é oposta, mas que a complementa. Yin-yang e suas respectivas nuances. Vinculam-se ao contexto e adotam tradução específica para cada uma das pessoas que as ouvem ou lêem.

A frase errada, fora do contexto que envolve sua realidade e a das pessoas ao seu redor, pode custar caro. Seja atrapalhando uma negociação ou a convicção de uma declaração de amor, por exemplo.

Da mesma forma, o discurso adequado mobiliza a comunidade para resolver seus conflitos. Por isso, a História está repleta de líderes que souberam conduzir seus povos à vitória com o discurso certo.

A origem do símbolo yin-yang

Este é o conhecido símbolo do yin-yang chinês, representando duas forças que se atraem e se repelem ao mesmo tempo. Para quem não sabe, ele deriva de um fenômeno natural do Universo. Os chineses, que eram um povo notadamente agricultor, tinham interesse nos movimentos do sol para melhor planejar suas atividades. Um dos estudos os levou a fincar um poste de 2,5 metros no chão, onde eles desenharam seis círculos concêntricos e 24 linhas radiais representando as 24 horas do dia. Nas intersecções das linhas, marcaram as extremidades da sombra projetada pelo poste, tanto solar como lunar. A figura abaixo mostra este fenômeno celestial. A parte clara indica a influência da luz do sol (yang) e a escura, a influência do reflexo lunar (yin).

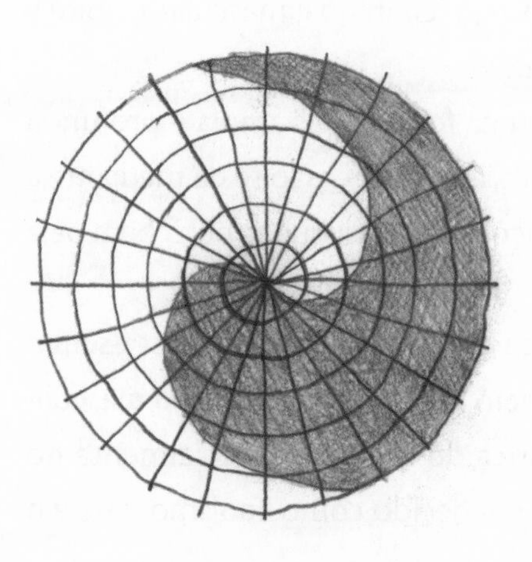

A ilustração do símbolo yin-yang representa a figura obtida graficamente, adicionada por dois pontos inseridos nos seus respectivos meios, pois as duas forças se complementam e dependem uma da outra para sua própria existência.

Universo em equilíbrio

Aprendi, no Ocidente, que a luz é melhor que a escuridão e que o bem é preferível ao mal. É por isso que temos o impulso pragmático de dominar o que é visto como mal e tentamos dar vantagem, mesmo que temporária, ao bem visto da nossa perspectiva.

Minhas origens orientais me ensinaram, contudo, que a energia cósmica se manifesta no yin e no yang e está contida em todos os opostos, que são inseparáveis. O bem necessita do mal para sua existência. Como a luz precisa da escuridão.

Yin e yang são forças opostas, em tensão dinâmica, mas que ao mesmo tempo se complementam e se harmonizam. O símbolo do yin-yang representa a quintessência desse equilíbrio dinâmico, do conflito e da harmonia. Yin e yang, feminino e masculino, noite e dia, frio e calor, reativo e pró-ativo.

Os orientais nos ensinam uma forma mais ampla e profunda de apreender as coisas. Para eles, a compreensão se dá mediante a vida, através de suas manifestações práticas, que se percebem pela cultura de um povo.

O conhecimento e a prática do bem não podem existir sem o mal, nem a luz sem as trevas, nem a alma feminina sem a masculina. É uma filosofia característica do Oriente, especialmente no milenar modo de vida chinês conhecido como Taoísmo, que é o caminho regido pelas leis da natureza. Os seguidores do Taoísmo acreditam que o cosmos, em mutação constante, depende de uma manutenção do equilíbrio dos opostos. Tudo, incluindo-se o mal, o escuro e o negativo, tem um papel fundamental a desempenhar.

Mas estamos vivos e, portanto, submetidos constantemente às mudanças. Cabe a nós buscar, permanentemente, o equilíbrio dinâmico de nossas vidas com o cosmos. Respeitar, como os orientais fazem, o conceito de yin-yang, de que o Universo é um todo que busca o equilíbrio dentro de si mesmo.

Angústia

Em conversas com pessoas bem posicionadas socialmente, nota-se uma grande intranqüilidade, infelicidade e até mesmo angústia, no mundo executivo. Pessoas que alcançaram altos postos nas corporações, mas que não se sentem felizes ou em paz com suas conquistas. Algumas me confessaram que trocariam suas fortunas e seu status por uma vida mais equilibrada e com verdadeira paz interior.

Elas definem seu atual estado de espírito usando palavras que conflitam com suas conquistas formais, de cargos, bens materiais e posição hierárquica. E, na incongruência entre suas vidas e o que suas almas refletem através de suas palavras, percebe-se que sofrem.

Percebo essa infelicidade diariamente no meu contato com líderes de empresas em suas confortáveis poltronas de primeira classe; nos diretores em seus carros blindados e nas executivas com suas bolsas de grife.

Quais seriam as causas?

(Responda antes: você sabe a diferença entre natural e normal?)

Normal

Creio que caímos na armadilha que nós mesmos criamos ao fixar códigos baseados apenas nos aspectos visíveis e normais do que consideramos a civilização ocidental, com suas regras e rituais burocráticos.

Shakespeare disse que "o mundo é um palco", e acredito que isso explica em parte o grande desequilíbrio e infelicidade dos dias de hoje. Desempenhar um papel, fingir em conformidade com os outros acaba se tornando um fardo desgastante e não natural.

Ser ***normal*** é seguir as regras e *normas* da sociedade. Que geralmente são falsas, por não captar nossa totalidade humana. Que nos obrigam a comportamentos hipócritas ou no mínimo formais. Enquanto que ser natural é seguir as leis da natureza, que nos embala desde a origem de nossa espécie.

Numa reunião social, quando você encontra alguém de quem decididamente não gosta, age com educação e polidez. Muitas vezes, contrariando sua formação, mente deslavadamente, quando sua vontade muitas vezes era encher a pessoa de sopapos. Ou mostrar que apesar de ela tê-lo demitido unilateralmente, por exemplo, você vive bem e feliz dirigindo ou trabalhando em outra empresa.

Analise de perto o que acontece nesse evento. Você gasta tensão, nervos e energia. Perde a oportunidade de uma troca de idéias tranqüila e equilibrada com os homens e as mulheres presentes. Ou seja, para se adequar às normas da sociedade, perde a intensidade dos relacionamentos humanos possíveis. Quando não gostar de inimigos é um ato legítimo de sobrevivência.

Natural

A alternativa a normal, um seguidor de normas sociais, seria, claro, ser ***natural***, ou seja, seguir as leis da *natureza*, que são absolutas. Ser você mesmo, real, autêntico. O que defino como "um genuíno você".

Mesmo em sociedade, se você optar por ser natural, recuperaria o vigor de sua espontaneidade por meio de atitudes autênticas. Sua palavra seria sincera e transformadora. A interação, olhos nos olhos, ressaltaria seus instintos e intuição e o ajudaria a identificar e a negociar com futuros aliados e parceiros.

Estamos, instintivamente, tão marcados pela sinceridade ancestral nos relacionamentos em grupo, que na nossa vida normal e civilizada fingimos sinceridade e espontaneidade, mesmo quando apertamos a mão de um inimigo (ou de uma pessoa que detestamos).

Quando me formei no *high school*, o paraninfo, inspirado, disse: "Meus jovens formandos, vocês estão saindo da escola e espero que tenham aprendido bem as lições de matemática, história, biologia, enfim, todas as matérias acadêmicas. Mas ainda que não levem esses conhecimentos com vocês, espero, ao menos, que saiam daqui tendo aprendido a ser cidadãos de bem, íntegros, pessoas éticas e sinceras".

E nos ensinou, na seqüência, a origem da palavra "sincera". Na época dos romanos, de acordo com esse paraninfo, os ricos encomendavam suas estátuas em mármore ou granito. No momento de talhar essas esculturas, alguns artesãos às vezes exageravam na dose e acabavam fazendo um corte maior, deixando uma falha no rosto, ou qualquer outro defeito.

Na finalização da obra, disfarçavam o erro. Mas os nobres percebiam o artifício e exigiam a sua correção, solicitando ao artesão uma obra autêntica, verdadeira, sem falhas ou disfarces e "*senza cera*", sem cera, ou seja, "sincera".

Ser sincero na convivência social ou sob as políticas conservadoras de muitas empresas tende a nos distanciar do verdadeiro eu, "*senza cera*". Agimos com normalidade e não com naturalidade. Somos, afinal, "civilizados", ou seja, "não naturais".

O que nos leva à tentação de ser naturais o tempo todo. Mas isso não é a realidade e, provavelmente, nem o ideal. De novo, volta a necessidade de ter o equilíbrio entre o natural e o normal. Entre o yin e o yang.

Nem sempre conseguimos a sinceridade absoluta e natural. Mas também não conseguimos, por mais hipócrita que seja o ambiente, ser radicalmente normais, ou seja, seguidores de normas.

De novo, a equação "o sucesso está no equilíbrio" nos ajuda a buscar a solução mais eficiente, que não tem nada a ver com contemporização ou meio-termo. Você deve ter em mente que equilíbrio não deve ser confundido com atitudes mornas ou com panos quentes. Buscamos o equilíbrio dinâmico, que é a reprodução em nossas atitudes do mistério que significa a nossa vida.

É por isso que estar vivo significa para todos nós, quando refletimos a respeito, um esforço continuado. Esforçamo-nos para entender e vencer as dificuldades, arrancando energia e motivação para fechar a conta a nosso favor em nossa luta diária.

Instintivamente, você sabe que a felicidade, o seu bem-estar e o de sua família se comparam com o equilíbrio que adquirimos ao andar de bicicleta. Um equilíbrio dinâmico que ajuda a avançar. Em vez do equilíbrio estático, parado, que se tornaria uma ameaça permanente de queda.

Ou seja, "o sucesso está no equilíbrio" funciona efetivamente quando apoiado no autoconhecimento, essencial para determinar sua personalidade e sua atitude, sobre as quais refletiremos em cada página deste livro.

"To be or not to be, that is the question."

A famosa frase de Shakespeare, "*To be or not to be, that is the question*", costuma ser traduzida como "Ser ou não ser, eis a questão".

Diante do que aprendemos entre ser natural e estar normal, sugiro uma tradução mais adequada ao nosso ser natural e ao nosso estar normal.

Ou seja, eu **sou** Robert Wong, que reflete minha natureza humana. E eu, Robert Wong, **estou** executivo, que traduz o meu ser normal.

"*To be or not to be, that is the question*" eu traduzo, portanto, como "Ser ou estar, eis a questão". Ser natural ou estar normal, eis a questão. A língua inglesa não possui a riqueza da dupla tradução para o verbo "*to be*".

Acredito que você, ao traduzir dessa maneira a frase de Shakespeare, amplia os sentidos do verbo "*to be*", ser ou estar, e inclui o que realmente somos. Uma combinação yin-yang, tensa e complementar, entre o ser natural e o estar normal. Em permanente equilíbrio dinâmico. Que sustenta seus relacionamentos sociais, pessoais e familiares.

Pontos para reflexão – Você é natural quando respeita e se integra às leis da natureza. É normal quando aceita as normas da sociedade. Combine seu jeito natural com o normal de forma equilibrada e amplie seu poder e influência.

- **Os vínculos com o mundo** – Inserir-se no mundo por meio de suas palavras e suas ações, que traduzem o yin e o yang do mundo em que vivemos.
- **Normal e natural** – Ser normal é seguir as regras e normas da sociedade; ser natural é seguir as leis da natureza, que são absolutas. Até nisso, precisamos procurar o equilíbrio dinâmico entre o normal e o natural.
- **Ser ou estar** – "Ser natural ou estar normal, eis a questão" seria uma tradução mais adequada da frase de Shakespeare: "*To be or not to be, that is the question*".

AUTOCONHECIMENTO

Como usar o autoconhecimento e a autoconfiança para influenciar pessoas e torná-las suas amigas. E, de quebra, ensinar seus filhos a andar de bicicleta.

Quem te ensinou a beijar?

Tente achar manuais que ensinem a andar de bicicleta. Tentei até na Internet. Consegui apenas um texto que aconselhava a subir em uma bicicleta e tentar se equilibrar enquanto pedala. Parecia mais uma receita para um tombo.

Ainda assim, a gente aprende a andar de bicicleta e não esquece, mesmo ficando anos sem pedalar. Aprende-se a andar de bicicleta pela transferência prática de atitudes e competências. Imitando quem já sabe.

Depois de aprendido, parece fácil.

Mas tanto andar ereto como pedalar em um parque num fim de tarde de verão são "conquistas conquistadas" da humanidade, que individualmente desfrutamos. Apesar da dificuldade de se escrever um manual para a transferência de tecnologia de andar ereto ou de bicicleta. Ou das belas coisas da vida que aprendemos por imitação. Quem te ensinou a beijar? Ou a sorrir com o corpo todo? Ou a revelar sua alma inteira em cada olhar?

"É a imitação que nos torna humanos", escreve Susan Blackmore, professora de psicologia da Universidade West of England, em Bristol, Inglaterra.

Os animais, mesmo quando estão ensinando seus filhotes a voar ou a caçar, simplesmente os empurram para a vida, diz a psicóloga. "Quando imitamos alguém, algo é transferido entre quem é imitado para quem imita. Esse 'algo' pode ser transferido em seqüência, e se tornar até mesmo um 'algo' com vida própria. Que podemos chamar de uma idéia, uma instrução, um comportamento, uma informação", revela Susan Blackmore, em *The Meme Machine*, Oxford University Press.

Ela chama este "algo" que é transmitido por imitação de "meme", utilizando o termo criado pelo zoologista Richard Dawkins, em 1976. Memes seriam, segundo ele, os sucessores dos genes na evolução humana.

Ou seja, você evolui culturalmente quando capta e retransmite uma idéia, um comportamento ou uma informação.

Enquanto os genes nos ajudaram a evoluir como animais, os "memes" seriam "uma unidade de transmissão cultural", capazes de se transmitir por imitação. E, ao encontrar guarida nos cérebros receptores, se replicariam em velocidade muito superior à dos genes, acelerando nossa evolução como entes culturais.

Faz sentido recuperar essa noção de aprendizado e transferência de idéias e aprendizado por uma unidade de conhecimento evolutiva, pois as grandes batalhas pela seleção natural acontecem, em nossos dias, em torno de mesas ou por intermédio de computadores.

Conhece-te a ti mesmo

Mas você deve ter em mente que, independente das redes de fibra ótica, da Internet, das conferências via satélite, a transferência de idéias só se confirma através de cérebros humanos. Que reforçam e reformulam nossa vinculação sociocultural todos os dias.

Espero que você concorde comigo que é durante uma entrevista de seleção, ou no relacionamento profissional em um escritório, ou controlando o funcionamento de uma unidade de produção, que acontecem as modernas batalhas pela sobrevivência profissional.

Que geralmente têm seu confronto bem explícito durante uma entrevista de seleção. O entrevistador quer descobrir o potencial futuro do candidato ou candidata à sua frente. O entrevistado precisa desempenhar o melhor de si, mostrar em poucos minutos sua capacidade de realização. Resumir em palavras e em linguagem corporal o que sabe fazer. E sustentar, com convicção, que está à altura dos desafios futuros.

É ou não é um exemplo de uma batalha moderna pela sobrevivência?

Uma batalha na qual a seleção natural não se apóia apenas nas competências físicas individuais, mas principalmente em como essas competências são traduzidas para o seu interlocutor. Nesse estágio, a linguagem corporal é parte integrante de sua comunicação, pois reflete seu nível cultural, a vinculação com seus grupos de referência, sejam eles profissionais, sociais ou familiares. E ajuda seu entrevistador a captar seu caráter. Ou alguém acreditaria nas suas doces palavras se fossem grifadas por gestos agressivos?

Na interação entre entrevistador e entrevistado, chefe e subordinado, líder e liderado, surge a clássica pergunta: quais são seus pontos fortes?

O candidato, naturalmente, está preparado. Recosta-se na cadeira, solta os músculos e o verbo. Fala com segurança e no ritmo adequado sobre suas características positivas, que o qualificam e o diferenciam para a posição. Acredita a tal ponto na sua argumentação que só percebe no interlocutor a aceitação de seus argumentos, a ponto de se considerar contratado ou promovido.

O candidato treinado para esse tipo de entrevista já sabe que a pergunta que segue o indagará sobre seus pontos fracos. Quando é feita a pergunta, o diálogo quase que se interrompe. A postura corporal muda. A segurança e a naturalidade são substituídas por frases prontas. Tenta falar com uma convicção calculada sobre seus defeitos, desde que acredite, piamente, que nenhum deles afetará suas chances.

Se for perguntado sobre os pontos fracos de colegas, o entrevistado recupera a fluidez da fala e o brilho do olhar. Consegue perceber os defeitos alheios em profundidade. Classificá-los. Julgá-los e, se lhe for permitido, condená-los.

(Antes de continuar, por favor, responda a estas duas perguntas: Será que esse candidato se conhece bem? Ou conhece apenas os defeitos dos outros?)

Ao longo dos anos, aprendi a perceber o potencial futuro dos talentos ao meu redor. Talvez tenha sido essa capacidade que levou a renomada revista inglesa *The Economist* a me colocar entre os 200 headhunters mais destacados do mundo.

Na entrevista para uma nova posição, as duas partes – entrevistado e entrevistador – tentam descobrir a verdade sobre o outro. Uma verdade de tal maneira inserida nas respectivas culturas e habilidades profissionais que nos permite visualizar ali a possibilidade de sucesso ou fracasso das duas pessoas, no futuro.

Se mentir, e exatamente por isso, o entrevistado revela-se incompleto na sua argumentação. Se aceitar a versão incompleta do futuro candidato, o entrevistador será cobrado em poucos meses por sua empresa por ter contratado um profissional que não se adeqüa às funções.

Nesses momentos de grande intensidade, em que as almas se desnudam, é que o autoconhecimento ajudará o candidato a refletir sobre ele mesmo, sua história de vida, suas convicções, sua postura diante do mundo e sua capacidade de ser natural.

Energia vital

Você, como profissional que desenvolveu o autoconhecimento, se descobrirá um ser humano, em primeiro lugar. Perceberá que autoconhecimento é a energia vital que lhe garantirá autenticidade e ampliará suas chances enquanto negocia.

Ao ser uma pessoa que desenvolve, ao longo da vida, o autoconhecimento, você procurará falar a verdade a seu respeito. Com naturalidade. Seus defeitos e qualidades foram percebidos e analisados por você mesmo. Ao ser indagado, você os menciona como características naturais de sua personalidade. Estão inseridos no seu conteúdo humano. Afinal, ninguém é perfeito. E você mostrará aos seus parceiros e interlocutores que suas deficiências, e também suas qualidades, surgiram ao longo de sua vida em função das escolhas que fez.

Quando você se apresenta por inteiro, um profissional que é também um ser humano, seus defeitos legitimam suas qualidades. Repetem-se as tensões complementares e dinâmicas entre o yin e o yang. E ao relatá-las para seu interlocutor você o convence, não apenas pela consistência da argumentação, mas, principalmente, por ter apresentado a sua verdade. Por inteiro.

Vantagens táticas e estratégicas

Você descobrirá, também, que o autoconhecimento é uma prática que melhora sua eficiência social. Quem exercita o autoconhecimento tem uma excelente referência para conhecer seus parceiros e adversários.

É por isso que Sun Tzu, filósofo chinês que se tornou general, escreveu há 2.500 anos: "Se conhecemos o inimigo e a nós mesmos, não precisamos temer o resultado de uma centena de combatentes. Se nos conhecemos, mas não ao inimigo, para cada vitória sofreremos uma derrota. Se não nos conhecemos nem ao inimigo, sucumbiremos em todas as batalhas", em *A arte da guerra*, adaptação e prefácio de James Clavell, Editora Record.

Ao incorporar, na prática, as vantagens táticas e estratégicas do autoconhecimento, você dará outro passo concreto para consolidar, de maneira complementar, sua autoconfiança.

As pessoas autoconfiantes caminham para o sucesso apoiadas no autoconhecimento. Por isso, podem se dar ao luxo de afirmar claramente que não conhecem determinado assunto. Ou que erraram sim e que não se sentem bem nesta ou naquela função. E que sabem aprender a aprender.

Ao combinar autoconhecimento com autoconfiança, você poderá usar os dois conceitos – mantido o equilíbrio necessário – para construir o sucesso profissional, pessoal e familiar que procura.

Lembre-se: "Conhecimento anda passo a passo com confiança. Por isso, autoconhecimento gera autoconfiança, que é a característica mais importante para o sucesso".

O equilíbrio é essencial para que o autoconhecimento não o transforme em marqueteiro de si mesmo. O excesso de autoconfiança pode levá-lo a se apresentar como a medida ideal do mundo. E a se tornar uma pessoa chata para seus amigos, colegas e parceiros. É claro que você não quer isso. O equilíbrio o ajuda a evitar, também, a autoconfiança exagerada, que se transforma perigosamente em arrogância.

É por isso que "o sucesso está no equilíbrio" se compara com o manual para aprender a andar de bicicleta, que só existe através da transferência prática de atitudes e competências. E que funciona quando se adquire o equilíbrio dinâmico.

Influenciar pessoas

No seu esforço para praticar o autoconhecimento, você ganha muito mais que autoconfiança. O que não é pouco. Você aprende a identificar as principais influências de outras pessoas, líderes e circunstâncias sobre sua vida.

Por ser um equilíbrio dinâmico – autoconhecimento com autoconfiança –, isso o ajuda, em contrapartida, a influenciar pessoas e torná-las suas amigas, por meio de suas atitudes e competências.

Ou seja, você se torna também um líder que se transforma em referência inspiradora para pessoas que nem mesmo conhece. E que, gratas, virão a se tornar aliadas, parceiras e até mesmo confidentes. É uma receita simples para influenciar pessoas e torná-las suas amigas.

De quebra, a cereja do bolo surgirá quando você descobrir que contribuiu, conscientemente, de maneira modesta, é claro, para melhorar – com suas atitudes e competências – o conteúdo cultural da humanidade.

Vencer com idéias

A consciência de que evoluímos através de unidades de transmissão cultural, como defende o zoólogo Richard Dawkins, professor da Universidade de Oxford, Inglaterra, nos motiva a angular nossa vida na busca constante do extraordinário. Ampliaremos nossa influência em nossas interações, com mais retornos às nossas ações, e nos conheceremos e aos nossos parceiros cada vez mais.

Hoje não vivemos em confronto físico direto com inimigos. Mas ainda assim participamos de disputas acirradas em torno de idéias com amigos, aliados, parceiros, fornecedores e clientes.

Buscamos a lucratividade, que exige cada vez mais criatividade e mais atividade. Ou estamos atrás da maneira mais eficiente de gerenciar uma ONG. Ou estabelecemos disputas saudáveis com nossos cônjuges para decidir para qual escola encaminhar os filhos.

Seja qual for o tema em pauta, para fazer prevalecer seu ponto de vista você deve conhecer bem a si mesmo e aos outros. O que o ajudará a estabelecer de maneira equilibrada relações sociais, pessoais e profissionais bem-sucedidas. Que retornarão em mais autoconhecimento e, conseqüentemente, em mais autoconfiança.

Ao se autoconhecer e, por isso, se tornar cada vez mais autoconfiante, você caminha para o que Lao Tsé define como "sapiência suprema". Segundo o filósofo chinês, que escreveu *Tao Te King* no século 6 a.C.: "Inteligente é quem outros conhece; /Sapiente é quem se conhece a si mesmo /Forte é quem outros vence; / Poderoso é quem domina a si mesmo".

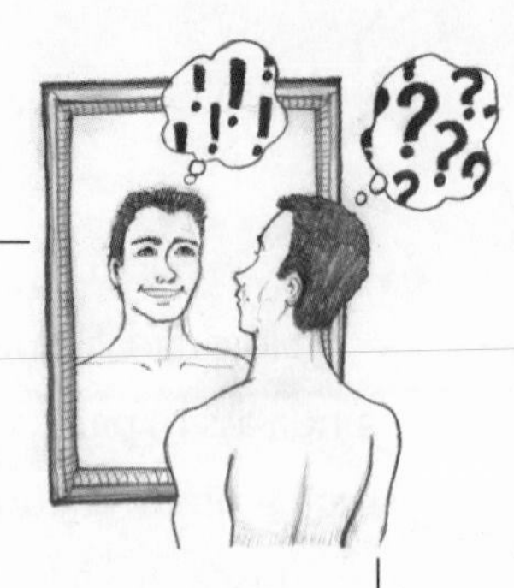

Pontos para reflexão – O autoconhecimento recupera o potencial de sua plenitude nesta vida. Ao investir no autoconhecimento, você é premiado com a autoconfiança que garante a sabedoria, o poder e o sucesso.

- **Conhece-te a ti mesmo** – Lembre-se de que a transferência de idéias só se confirma através de seres humanos. E você, como profissional que desenvolveu o autoconhecimento, se descobrirá um ser humano, antes de mais nada. Para conhecer-se, mergulhe no seu ser.
- **Vantagens táticas e estratégicas** – Conhecimento anda passo a passo com confiança. Por isso, autoconhecimento gera autoconfiança, que é a característica mais importante para o sucesso.
- **Influenciar pessoas** – Transforme-se numa referência que ajuda a inspirar pessoas que nem mesmo sejam do seu relacionamento direto. Seja o melhor você que você possa ser!
- **Vencer com idéias** – Siga Lao Tsé, que diz que "inteligente é quem outros conhece e sapiente é quem conhece a si mesmo".

A TRILOGIA DO EQUILÍBRIO

Como captar e se inserir nos códigos da vida.

Você se encontra através dos pontos de referência

A partir de três pontos de referência não-alinhados, você define com precisão a sua posição, esteja em qualquer um dos três lugares: no ar, no mar ou em terra. Três pontos não-alinhados são suficientes, também, para definir um plano. Além disso, qualquer objeto se apóia com precisão se for sustentado por um tripé que representa a estrutura mais equilibrada. Basta observar como os cinegrafistas e fotógrafos apóiam seus equipamentos em cima de um tripé. Neste livro, traduzi tripé por trilogia.

Os três pontos não-alinhados estão vinculados a três dimensões do espaço, que a gente aprende na escola como largura, profundidade e altura. Eles nos ajudam a estabelecer uma posição e também os pontos de referência em nossas vidas.

Ao considerarmos o tempo, somos empurrados de novo para outra trilogia: o presente, o passado e o futuro. O presente é o desafio permanente da verdadeira vida vivida. Fomos submetidos às ditaduras do passado e do futuro, principalmente no Ocidente, onde "tempo é dinheiro".

Basta que você pare para pensar e verificará a importância do **agora**, o seu tempo presente. É no presente que você ama. Que se casa. Que lê esse livro. A vida só é vida, com certeza, no presente. Amanhã, poderemos não estar mais aqui. E a vida que vivemos ontem é apenas uma recordação.

Ao avançar em nossa análise, a trilogia do equilíbrio se torna um método simples para sustentar nossa busca. Ajuda-nos, em cada etapa da busca de conhecimento e autoconhecimento, a manter o equilíbrio em nossas indagações e a avaliar a eficiência dos resultados.

Assim que se acostumar a refletir sobre os mais diversos aspectos de sua vida, você avançará para além das explicações binárias do tipo certo ou errado, bonito ou feio. Terá uma maneira simples de desenvolver seu autoconhecimento, visualizar e consolidar seu projeto de vida, seja qual for o tamanho dos seus sonhos.

Aprenderá a identificar os códigos expostos ao nosso redor. No ambiente de trabalho ou no relacionamento com amigos, parentes e parceiros. E a equacionar os sinais na perspectiva de sua vida.

Perceberá que a realidade não se apresenta com uma face apenas, boa ou má. Que, se captarmos o equilíbrio dinâmico que dá sustentação aos vários conceitos com os quais lidamos, avançaremos um pouco mais no nosso autoconhecimento. E ao sustentar esse conhecimento com a trilogia do equilíbrio, que vincularemos nossa sabedoria à realidade em que vivemos, trabalhamos e buscamos o sucesso.

A importância do equilíbrio

O mundo moderno anda em desequilíbrio. Verificamos isso, infelizmente, no cotidiano, seja no inter-relacionamento entre as pessoas, nos desastres ecológicos e fenômenos naturais, no aumento das doenças e epidemias, nas mentiras deslavadas das mesmas pessoas que deveriam ser nossos modelos de probidade, na falta de alguns recursos naturais e na extinção de alguns espécimes de fauna e flora, na escalada de crimes e na violência urbana. A lista é infindável. O ser humano está indo além do seu padrão, partindo para o exagero, saindo do equilíbrio.

Comer é bom. Demais é ruim. A pessoa se torna um glutão.

Exercitar-se é bom. Demais é ruim. As células do corpo oxidam e envelhece-se mais cedo.

Trabalhar é bom. Demais é ruim. A pessoa se torna um "*workaholic*".

A ambição é boa. Demais, torna a pessoa gananciosa.

Até estresse é bom. Faz a gente se agitar, mas, quando é demais, sabemos os malefícios que nos traz.

Portanto, o sucesso está no equilíbrio.

Você e o Tao

No Ocidente, temos o hábito de escolher apenas um dos pólos de uma realidade. Uma coisa é certa ou é errada. Feia ou bonita. Fixamo-nos em um dos aspectos e eliminamos o outro.

Os orientais buscam o todo, que definem como **Tao**. O sinólogo e especialista em cultura chinesa Richard Wilhelm, que, junto com

Carl Gustav Jung, escreveu *O segredo da flor de ouro*, registrou que a palavra Tao é representada por dois sinais: "cabeça" e "caminhar". Outros autores traduzem Tao por "sentido". Há os que empregam Tao para significar "luz do céu". Para mim, Tao é o "caminho natural".

O Oriente, diz Jung, nos ensina outra forma de compreensão, mais ampla, mais alta e profunda: a compreensão mediante a vida. Com a trilogia do equilíbrio, que desenvolvo junto com você neste livro, minha intenção é incluí-lo na compreensão e nas respostas dos temas relacionados à vida.

Ao inserir você na essência das reflexões a respeito da realidade multifacetada, teremos construído, na prática, uma plataforma equilibrada de experiência e de conhecimento acumulado. Que se transformará em sabedoria com as respectivas assinaturas. A sua e a minha.

Você, o yin e o yang formam a trilogia

Quando captam dois aspectos de uma situação, os orientais sabem da importância de combiná-las de maneira complementar. Ao respeitar as tensões entre dois aspectos distintos, yin e yang, buscam entender o funcionamento orgânico e vivo do objeto de suas reflexões. E se espera que se pratique a sabedoria assimilada.

Na cultura ocidental, você é, muitas vezes, induzido a classificar uma pessoa como boa ou má. Dependendo da maldade ou bondade que aquela pessoa lhe fez, você a rotula. As culturas orientais, contudo, ensinam que não há pessoas completamente más ou boas. Existe uma disputa interna permanente que às vezes faz o lado bom das pessoas prevalecer. Outras vezes, vence o lado mau.

Na cultura de dualidades do Ocidente, do bem ou do mal, do certo ou do errado, uma definição exclui a outra.

E você é mantido de fora do todo. Analisa e disseca a realidade. Escolhe o detalhe que lhe convém. Mas não é inserido na totalidade.

Quando nos apropriamos, com a trilogia do equilíbrio, das sabedorias expostas na natureza e nas tradições orientais e ocidentais, temos a oportunidade de nos incluir, conscientemente, na nossa realidade. A sua consciência se torna, então, o terceiro componente da realidade. Você, o yin e o yang formam a trilogia.

Gary Zukav responde à questão "Como o Universo adquire realidade?" com a seguinte frase: "A resposta chega completando o círculo. Somos nós mesmos que damos realidade ao Universo. Uma vez que somos parte do Universo, isso faz com que o Universo, e nós, sejamos auto-realizadores", em *Dança dos mestres Wu Li*, Ece Editora.

A trilogia do equilíbrio nos estimula a nos incluir como seres vivos, conscientes e auto-realizadores no fluxo da vida. Diante da tensão entre o certo e o errado, inclua você na equação. Capte, de maneira dinâmica, a trilogia que a sua inclusão ajudará a formar. Respeite as tensões naturais entre o yin e o yang e equilibre-as com suas atitudes.

Em vez de se perguntar por que sua esposa sempre pega no seu pé, por que seu chefe está sempre achando algo errado em você, tente se incluir na resposta das perguntas e você mudará suas atitudes.

Esses porquês são válidos, mas errados. Ao responder às questões que faz em relação a terceiros, você tem a sensação de conhecer melhor sua esposa ou seu chefe. Mas não conhece o essencial, que é você mesmo.

Quando, mesmo fazendo a pergunta, você se inclui consciente na resposta, vai reformular suas indagações. Por que quando a minha esposa me olha daquele jeito eu fico com uma estranha sensação de culpa? Por que quando meu chefe me chama a atenção eu tenho uma revolta imensa?

Ao se inserir na resposta, você avança para o autoconhecimento. E ao se conhecer melhor, num processo que exige honestidade de sua parte, você conhecerá melhor sua mulher ou seu chefe. E terá uma idéia muito mais precisa do tipo de relacionamento que se estabelece.

Sua inclusão no mundo

Quando nos incluímos conscientemente no mundo, ampliamos o autoconhecimento. Entendemos um pouco mais a nossa vida e a das outras pessoas. Diante de uma dificuldade, você se torna parte consciente da busca da solução. Percebe uma nova oportunidade, em vez de deixar a dificuldade virar um problema.

A busca cotidiana da sabedoria, por meio da trilogia do equilíbrio, nos coloca na mesma trilha dos grandes sábios da humanidade. Ajuda-nos a refletir sobre nós mesmos, a nos ver nos outros e no mundo. A desenvolver mais autoconhecimento e autoconfiança.

Ao detalhar em cada página deste livro a trilogia do equilíbrio, desenvolveremos atitudes apoiadas na sabedoria oriental e no pragmatismo ocidental.

São cenários que nos ajudarão a conquistar a compreensão mediante a vida. Avançaremos, pois, cheios de esperança, essa característica especial da cultura brasileira, no processo permanente de viver, produzir e criar coisas belas. Que sustentarão o nosso sucesso espiritual, social, pessoal, financeiro e profissional.

Pontos para Reflexão

Pontos para reflexão – A trilogia do equilíbrio o coloca no centro do Universo e o ajuda a interagir e a se valer das energias ao seu redor.

- **O sucesso está no equilíbrio** – Tudo o que é demais (ou de menos) leva ao exagero e ao desequilíbrio. O mundo atual está pagando um preço demasiadamente alto. Por isso, o sucesso está no equilíbrio.
- **Você e o Tao** – A sua consciência torna o Tao uma realidade para você. Você, o yin e o yang formam a trilogia. Seja consciente para viver a vida na sua plenitude.
- **Sua inclusão no mundo** – Quando nos incluímos conscientemente no mundo, ampliamos o autoconhecimento. Diante de uma dificuldade, você se torna parte consciente da busca da solução. Percebe uma nova oportunidade, em vez de deixar a dificuldade virar um problema.

A TRILOGIA DA VIDA

Como juntar no tempo presente a energia de sua saúde integral. E montar sua plataforma de lançamento e se deixar levar pela esperança.

Saúde

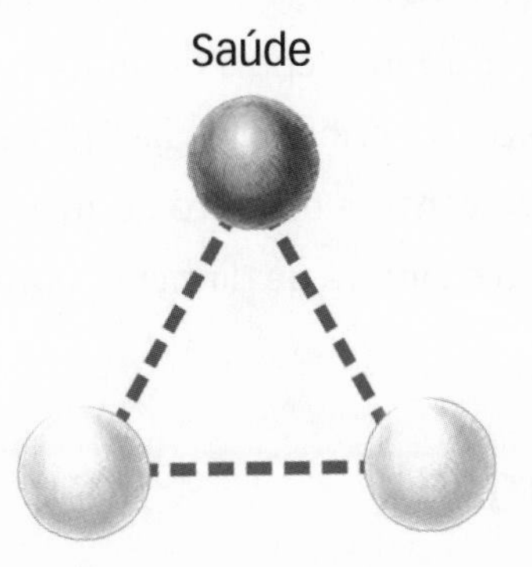

A **saúde** se desdobra, também, numa trilogia. Física, mental e espiritual. Apóie sua visão de mundo nesta trilogia e ampliará tremendamente a probabilidade de conclusão de seus projetos. E, o mais importante, terá condições de repassar o bastão de suas conquistas para seus filhos e netos.

Os chineses têm uma parábola muito interessante para descrever a importância da saúde. Meu pai, chinês, dividia comigo, desde muito pequeno, sua compreensão ampliada do conceito de saúde. Em vez das ordens convencionais – "filho, alimente-se corretamente", ou "filho, você precisa descansar porque amanhã tem de acordar cedo para praticar esportes antes das aulas" –, meu pai repassava sua visão ancestral da importância da saúde.

O número 1

A saúde, segundo meu pai, era o número 1, na série de acumulações possíveis que temos na vida. Se, além da saúde, eu tivesse amigos, acrescentaria um zero depois do número 1. Teria então um patrimônio dez vezes superior ao inicial. Na mesma linha de raciocínio, meu pai acrescentava um zero ao meu número 10, a cada nova conquista, e o chamava de dinheiro, bom salário ou sucesso profissional.

10, 100, 1000...

Eu, menino, filho de imigrantes, recém-recebido de braços abertos no Brasil, ainda meio deslocado no ambiente, me sentia riquíssimo. Meu pai não desistia. Avaliava meu interesse e transformava minha fortuna em 1.000. Ou seja, o número 1 de minha saúde, seguido de amigos e dinheiro ganhava, agora, o zero que ele nomeava como educação, reflexão ou capacidade de aprender.

A partir dessa parábola da saúde, aprendi a me tornar, mentalmente, um bilionário. Aprendi a tratar cada avanço em minha vida, seja uma posição numa multinacional, o término da universidade ou a compra do meu primeiro carro, com a indiferença de um zero. Mas que, quando acrescentados ao meu sólido número 1, a saúde, me tornava poderoso.

Você já deve imaginar como terminava a pregação de meu pai. Olhando bem nos meus olhos, brilhando com os milhões possíveis, ele falava: "Filho, se você não tiver saúde, o que acontece? Você não tem aquele número 1 na frente. Só zeros.

000000000000...

O que adianta ter amigos, dinheiro, poder, família e todo o resto, sem ter saúde, o número 1 da equação, para dar-lhes significado?"

Aquele número 1, que me parecia tão pouco, é que no fundo e no futuro, daria significado e valor a toda a minha vida. Ou, se for adotado por você, o ajudará a valorizar e investir em sua saúde.

Junto com a saúde física você tem a oportunidade de consolidar as saúdes mental e espiritual.

Seu corpo sem saúde se manifesta com dores, gastrites, músculos travados, pressão alta, diabetes e uma série de sintomas. Muitos deles resultados da somatização de sua insatisfação com os relacionamentos pessoais ou profissionais.

Você se torna a cápsula desses males e acaba percebendo apenas a doença, quando ela se manifesta. Mas o ideal é agir preventivamente para preservar a saúde integral de seu organismo.

Mesmo sem ser médico, você percebe que é muito difícil manter a saúde física sem incluir na equação as saúdes mental e espiritual. Algo fácil de sugerir. E mais fácil ainda de conquistar, se você assume que o sucesso está no equilíbrio. E combina corpo, mente e espírito para alavancar seus projetos. É uma atitude que o ajuda, ainda, a monitorar em tempo real seus avanços e, principalmente, a se manter atento às ameaças veladas à sua saúde integral.

Sua mente, apoiada num corpo equilibrado e saudável, o ajudará a aprofundar o autoconhecimento. E, quanto mais se conhecer, mais autoconfiante se tornará. Esta é a maneira de se apresentar socialmente saudável.

Autoconfiante, você transpira segurança e vigor. Aprofunda-se e esgota o seu presente com uma eficiência de tal ordem que capta nuances ainda não percebidas pelos seus pares ou concorrentes.

Muita gente explica o sucesso afirmando que a pessoa teve uma visão antecipada do futuro. É uma conclusão até válida, mas errada, principalmente quando usada para explicar o sucesso a posteriori.

São as pessoas em equilíbrio, com a auto-estima consolidada pelo autoconhecimento, que vêem no aqui e no agora as oportunidades ainda não apreendidas pela maioria.

Pessoas que, além de ter a visão da própria época, transformam, por meio da atitude positiva, as dificuldades em oportunidades. E ao se incluírem (e ao seu grupo) nas soluções, criam um novo nicho de mercado. Um novo produto ou serviço. São, então, premiadas com o sucesso, pois respondem às necessidades latentes de sua época.

Focado no presente, você analisará as propostas de seu interesse e as vinculará automaticamente ao seu bem-estar e ao de sua família, aos princípios religiosos e espirituais que recebeu de seus pais. E, mesmo que você não seja uma pessoa religiosa, saberá preservar sua saúde integral, não agindo de maneira que se comprometa moralmente.

Escolha o cargo a ocupar

Basta essa preocupação sincera com sua saúde integral para que consiga planejar sua carreira até o limite do que esteja disposto a pagar pelas funções que virá a assumir. Todos os cargos numa corporação podem ser ocupados por você. Dependerá, apenas, do quanto você está disposto a investir para chegar ou se manter neles. Tudo tem seu preço, assim como toda posição que assumir na vida pessoal também terá um custo.

Ser um líder comunitário tem o custo da entrega permanente aos problemas de terceiros, com a recompensa que se segue em termos de satisfação pessoal. Ser indiferente também traz custos. E culpas.

Neste aspecto, acho as mulheres executivas mais sábias. Elas sabem bem o valor da própria saúde – delas e da família. Por isso vivem mais que os homens. Não são, em sua maioria, presidentes das companhias porque não estão interessadas em pagar o alto preço da promoção. Aí reside a sabedoria das mulheres.

Preferem gastar suas melhores horas com seus familiares. E pagam, com altivez, pelo fato de abrirem mão de carreiras que as obrigariam a sacrificar sua saúde integral. O que me leva a profetizar que, à medida que as companhias se tornarem mais orgânicas e passarem a ser gerenciadas com base em valores mais humanos e holísticos, as mulheres ocuparão os principais cargos executivos.

O preço para assumir um cargo é, muitas vezes, altíssimo em termos de estresse, de horas, de comprometimento com rotinas distantes do seu ideal. A contrapartida, contudo, é estimulante. Você atinge a estatura de um guerreiro vencedor. E se sustentar o cargo com uma liderança legítima e inspiradora terá a oportunidade de colocar sua marca no mundo.

Mas você pode ser do tipo que prefere se manter nos escalões médios. Terá de pagar o preço por isso. A pressão pelo sucesso profissional continuado é tremenda. E ao equilibrar a vida profissional com a vida pessoal e familiar muitas vezes você terá de abrir mão da disponibilidade que a companhia precisa.

O resultado pode se dar no formato de uma carreira estabilizada, que o levará a se tornar um apoiador de outros executivos e executivas. Você será igualmente essencial para a empresa. Acumulará o capital emocional da companhia. Manterá as relações entre pessoas e departamentos bem azeitadas e criará um fluxo saudável de troca de idéias, fundamental para a sobrevivência de qualquer organização num ambiente competitivo.

Caso a posição de detentor do capital emocional da companhia o preocupe, a ponto de desequilibrar o seu bem-estar, o ideal é avaliar sua disposição, pagar o preço e avançar. Você pode, literalmente, ocupar o cargo que quiser na empresa ou na comunidade.

A referência que o preserva nesses momentos de avaliação continuada da carreira ou da sua vida pessoal é o número 1, que meu pai associou à saúde – sustentado por três níveis complementares de saúde: física, mental e espiritual. A saúde integral.

A saúde dos líderes

Em vez de ser contaminado reativamente pelo vírus da "carreira a qualquer custo" e correr o risco de cair exausto no meio do caminho, você, ao preservar sua saúde, torna-se um líder pró-ativo que aglutina e mobiliza a organização.

Será a vacina que inoculará empresas e empreendimentos. E, ao manter seu número 1, ou seja, sua saúde, terá energia e determinação para acumular novas conquistas. Até ser premiado pela liderança máxima da companhia ou da ONG de sua comunidade. Claro, se esse for o seu objetivo.

Faça um teste. Avalie a saúde dos executivos que são líderes, na concepção verdadeira da palavra. Eles irradiam energia. Estão no controle. Transformam o mundo. A pele rejuvenesce. O cabelo brilha. Organizam suas vidas de tal maneira que a gente os percebe em várias funções ao mesmo tempo. Comandando. Sugerindo. Revolucionando.

Chegaram ao topo com o sangue cheio de oxigênio. A visão apurada. A sensibilidade à flor da pele. Tornam-se líderes verdadeiros. Ajudam a inspirar pessoas e equipes. Tomam decisões deliberadas. Ao estimularem ambientes saudáveis, a motivação se alastra. As pessoas, profissionais, clientes e parceiros, entregam muito mais do que é esperado nos contratos que os vinculam à organização. A criatividade floresce e alavanca a lucratividade.

Tempo

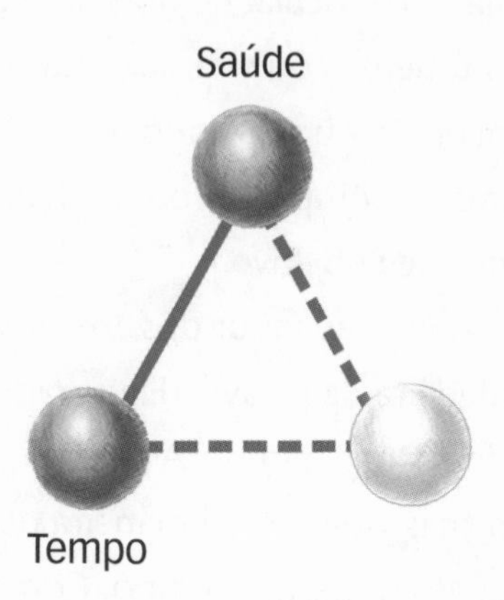

Da nada adianta ter saúde (física, mental e espiritual) e não ter **tempo** para aproveitá-la. O tempo, essa moeda comum a qualquer ser humano, independente da classe social, também respeita a trilogia do presente, passado e futuro. Todos temos 24 horas por dia, nem mais nem menos. A diferença está em como você usa essas 24 horas.

A civilização ocidental abandona, perigosamente, o próprio presente. Você é filho de uma civilização que submete as pessoas a resultados.

O sistema de produção capitalista ajudou a humanidade a dar um tremendo salto. Gerou superávits em várias áreas. Teve mais acertos que erros, o que consolidou a fé no sistema, que se baseia no planejamento, na projeção futura, na aferição de resultados.

Felicidade gera resultados

O sistema capitalista nos condiciona a conseguir resultados primeiro para ser feliz depois.

Conseqüência: você vive tão pressionado por resultados que perde contato com o presente. Deixa escapar sua alma infantil e se entrega à angústia do futuro. Ou aos pesadelos do passado.

Mas o contrário é que é verdadeiro. São pessoas felizes que geram resultados. Felizes, vinculamo-nos uns aos outros e ampliamos nossa criatividade e competitividade. Com pouco, fazemos muito. E o muito com qualidade.

Para recuperar o presente, você deve estar consciente de que o tempo disponível em sua vida vem em pacotes fixos.

Cada minuto conta. Nosso tempo é limitado. E o tempo perdido não se recupera. Não se pode "economizar" o tempo. Ele é instantâneo e passa.

Quando somos crianças, nos entregamos ao tempo presente. Você se lembra? É o período de maior acumulação de conhecimento de nossas vidas. Se você já se esqueceu de quando era criança, observe qualquer menino ou menina. O tempo não passa para as crianças. Porque elas estão concentradas no presente. Apenas no presente.

A ponto de Jesus ter dito, no tempo presente, "**é** das crianças o reino dos céus".

A partir da adolescência, abrimos mão do paraíso terrestre. Você começa a cristalizar sua visão de mundo. Antecipa e deseja os vários paraísos possíveis. E acaba trazendo para a sua vida os vários infernos possíveis. O espectro do futuro começa a fazer sombra em seu dia-a-dia.

A preocupação se instala. Mas preocupar-se é ocupar-se antes do tempo. É sofrer por antecipação. E ao se ocupar de uma situação que, se ocorrer, será apenas no futuro, você sofre hoje, gastando um tempo precioso. Um tempo perdido e irrecuperável.

Lembre-se: a sua cota de tempo enquanto vivo, seja qual for o período que fique entre nós, é limitada. O tempo que perde em antecipações inúteis é jogado fora. Sem chances de recuperar.

As expressões típicas da juventude, que se alastram pela idade adulta, são: "quando eu conseguir meu primeiro emprego...", ou "quando eu sair de casa...", ou ainda, "quando eu me formar...".

Você vive virtualmente no futuro. Mas sofre ou é feliz, concretamente, aqui, no presente.

À medida que envelhece, você muda também seu relacionamento psicológico com o tempo. Surgem as lembranças: "na minha época era diferente..." ou "quando eu era jovem...". De novo, gasta energia emocional e desperdiça seu precioso tempo de vida. Vive no passado.

A razão é simples. Tudo o que aconteceu no passado só faz sentido se você puder utilizar como sustentação de suas ações no presente. Ao recuperar e usar o conhecimento, a experiência e a sabedoria acumulados, você amplia suas chances hoje.

Mas viver de bravatas e de registros de sucesso no passado vira perda do tempo presente. O que diminui seu potencial e sua eficiência para superar suas dificuldades.

Quando você perde o foco no presente, investindo seu tempo em memórias ou antecipando dificuldades futuras, diminui a capacidade de superar seus desafios no presente.

Círculo virtuoso do sucesso

Não existem problemas a priori. Talvez você discorde disso e me ache maluco.

Se quando você diz: "Eu tenho uma conta para pagar", "Perdi meu emprego" ou "Meu filho está para ser reprovado", estiver focado no presente, reserva todas as suas energias para ver, por exemplo, que todo e qualquer problema é, na verdade, um desafio. E ao enfrentar o desafio de frente, com a determinação típica das pessoas que se conhecem bem, amplia a chance de conseguir a resposta acertada.

Se colocar a dificuldade no tempo presente, no aqui e agora da sua vida, você a transforma em um acontecimento. E se diante deste acontecimento adotar uma atitude positiva, você o transforma em uma oportunidade. Se tiver uma atitude negativa, você cria um problema.

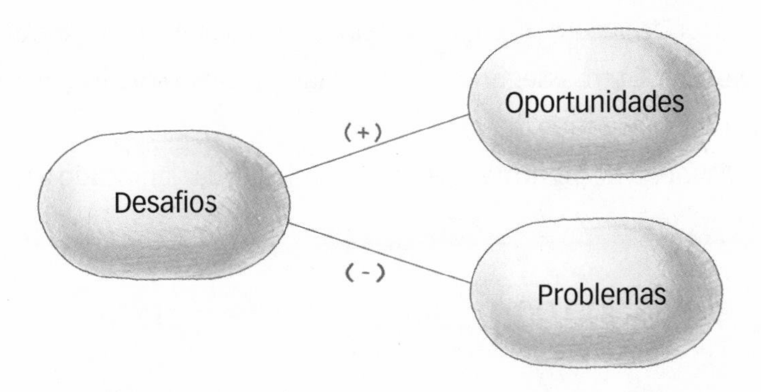

Por isso, insisto que o problema não existe a priori. Ver na dificuldade uma oportunidade é questão de atitude. Se diante de uma situação adversa você se sente o pior dos homens, um incompetente, a situação começa a fugir ao controle e a virar um problema.

Mas, ao encaixar a dificuldade no tempo presente, analisá-la sob vários ângulos e se inserir como peça fundamental para resolvê-la, você, muito provavelmente, verá surgir a oportunidade. E se aproveitá-la terá dado mais um passo para consolidar sua autoconfiança.

Entrará no círculo virtuoso do sucesso. Ao se tornar um bem-sucedido solucionador de problemas, reafirmará sua atitude positiva. Que reverterá para sua eficiência como ser humano e líder de pessoas. Ou seja, está em suas mãos, hoje, a atitude que definirá o seu sucesso ou fracasso. Só você pode controlar sua atitude.

A retomada do tempo presente é que nos ajudará a manter a equação "o sucesso está no equilíbrio". Ao recuperar nosso condicionamento infantil para viver o dia de hoje, ampliaremos nossos vínculos com uma realidade circundante cada vez mais ampliada.

Comece, pois, a dar espaço para a criança que tem dentro de você se manifestar. Deixe o seu olhar infantil avaliar as dificuldades. Com alma de criança, goze as merecidas conquistas. Aos poucos, o prazer de viver o presente acabará com a distinção entre trabalho e lazer. E terá assegurado o bem mais precioso para gastar aqui e agora: a sua saúde integral.

Manterá de pé, firme, o seu número 1, que dá significado a todo o resto.

1.000.000.000...

E tudo o que vier depois é lucro. Espiritualmente você se tornará um bilionário. E fisicamente estará preparado para buscar o sucesso. E, se achar conveniente, traduzi-lo em um número 1 seguido de um montão de zeros, que representam seus dons, bens, qualificações, conquistas, etc.

Esperança

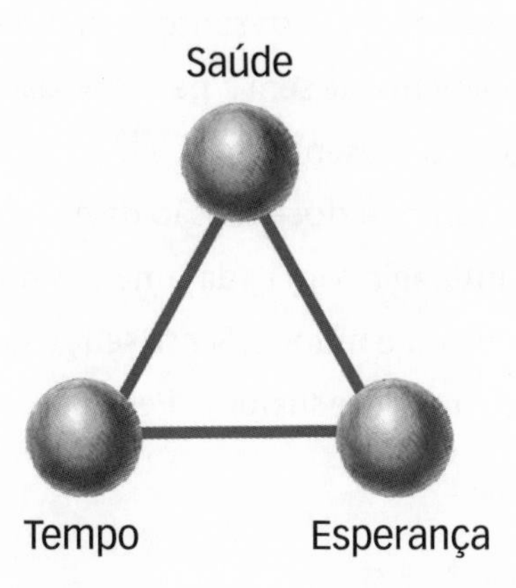

É a maneira como você vive seu presente que apresentará indicativos mais ou menos seguros para antecipar seu futuro. É difícil prever um futuro saudável para quem antecipa suas angústias futuras e consome grandes quantidades de drogas, ou assume cargas horárias exageradas sem o mínimo de satisfação.

As suas chances de acerto aumentam quando você conscientemente vive sua vida plenamente. Invista seu tempo em atividades de que gosta. Divida suas alegrias com seus parceiros. Interaja com seu mundo. São atitudes simples, que ajudarão seus amigos, familiares e parceiros a perceber seu brilho a distância.

Inserir-se na própria vida e manter-se consciente é ter a oportunidade única de receber o que sua **esperança** lhe insinua. Pois todo e qualquer evento futuro chegará num dado momento presente. Que exigirá o ser ampliado, o espírito focado, as energias em dia.

É por isso que a trilogia saúde, tempo e esperança nos ajuda a transformar a energia negativa da preocupação e da culpa em ocupação ou "fazer acontecer". Por entender que as culpas do passado de nada nos ajudam é que os santos estão sempre preparados para nos perdoar. Sabem que sem o peso do passado teremos mais leveza e energia para o presente.

E, leves, manteremos a doce tensão da esperança, que deixará o mundo inteiro interagir com cada uma das nossas terminações nervosas. Vamos cheirar o mundo. Sentir seu gosto. Captar sua temperatura. Ouvir seu mais leve sussurro. Perceber em cada canto uma oportunidade.

O investimento do perdão

Se não tivermos um santo ou um Deus para nos perdoar, que sejamos generosos com nossa vida. Perdoemo-nos de eventuais erros. Se preciso for, nos penitenciemos. Procuremos nossos amigos, parentes e inimigos e nos desculpemos. Recebamos o perdão como um dos mais preciosos investimentos em nós mesmos.

E agora, livre de culpas e dos condicionamentos que sustentam sua crença, você abre espaço para a esperança dar o tom de sua vida. Criará vínculos com seus parceiros, que o ajudarão a aproveitar as oportunidades que você viu na dificuldade. É um belo prêmio que você receberá da vida ao recuperar sua habilidade de lidar com o presente, como acontecia na infância.

Além disso, o tempo presente, o agora, se transforma, com sua saúde integral, numa excelente plataforma de lançamento a qualquer situação para a qual sua esperança o conduza.

Pontos para Reflexão

Pontos para reflexão – A trilogia da vida se ampara na saúde, no tempo e na esperança. Cada um dos três aspectos se combina em você e se preserva por meio de suas atitudes. Principalmente se forem adotadas agora, no tempo presente.

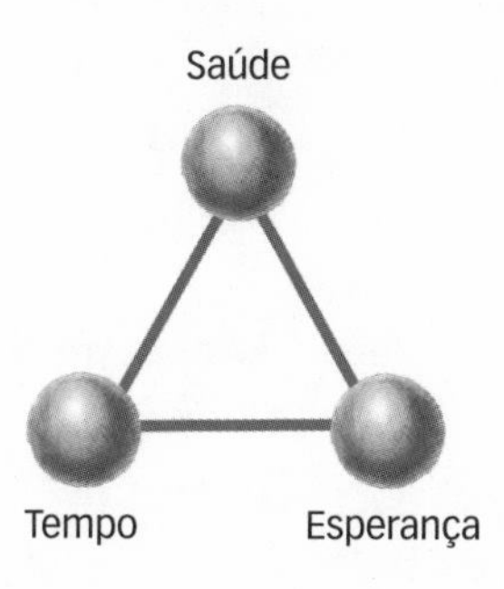

- **Saúde é número 1** – Com o número 1 da saúde em nossas vidas, os zeros que se acrescentam na forma de dons, bens, qualificações e conquistas ampliam o sentido de nossa existência.
- **Tempo** – Todos dispomos de 24 horas por dia, nem mais nem menos. Faça o melhor uso do seu tempo, pois ele é finito.
- **Esperança** – A doce tensão da esperança deixará o mundo inteiro interagir com as suas terminações nervosas. Uma pessoa é capaz de sobreviver 30 dias sem comer, quatro dias sem beber, 4 minutos sem respirar e nenhum segundo sem ter esperança.
- **Atitude** – Não existem problemas a priori, mas sim desafios. Se perante o desafio você tiver uma atitude positiva, cria uma oportunidade. Se perante este mesmo desafio sua atitude for negativa, aí sim, você cria a dificuldade. A diferença está na sua atitude. O desafio você não controla, a sua atitude sim.

A TRILOGIA DO DESEQUILÍBRIO

Como afastar os fantasmas do medo, da raiva e da culpa.

A criança que te protege

Nascemos nus, sem dentes e dependentes. Mas em harmonia com o Universo. Lao Tsé, o sábio chinês que escreveu *Tao Te King* há 2.600 anos, nos propõe a criança como modelo.

"Quem vive na plenitude do seu ser / Vive como criança recém-nascida / Víboras venenosas não a picam / Feras selvagens não a atacam / Aves de rapina não a agarram."

Nossa alma infantil, sem medo, nos protege mesmo depois de adultos. Uma amiga minha foi assaltada, no centro de São Paulo. O jovem a ameaçava com uma faca de cor verde. Inicialmente apavorada, viu a faca verde. Achou que estivesse em um programa de pegadinhas. Começou a ajeitar o cabelo e a procurar a câmera escondida.

O assaltante a ameaçava com a faca verde. E insistia: "A bolsa! A bolsa!"

Minha amiga, concentrada na eventual aparição na TV, dizia: "Espera aí, menino!" Ajeitava o cabelo e a roupa, sem localizar a equipe de filmagem. O jovem assaltante ameaçou com mais veemência. E minha amiga reagia sempre com a tranqüilidade dos que participam de algo divertido.

Finalmente, o criminoso, que não entendeu a reação da mulher, se apavorou e fugiu. Duas outras mulheres se aproximaram da minha amiga. Elogiaram sua coragem. Quiseram saber como ela fez para se livrar do assaltante. "Não era assalto, era um programa de pegadinha", disse minha amiga. Quando se deu conta de que era mesmo um assalto, a coitada caiu desfalecida.

Essa história real mostra como a coragem e o medo têm um aspecto virtual. Se vivenciarmos uma situação de perigo com o olhar infantil, é muito provável que surpreendamos até mesmo quem nos ameaça.

Medo

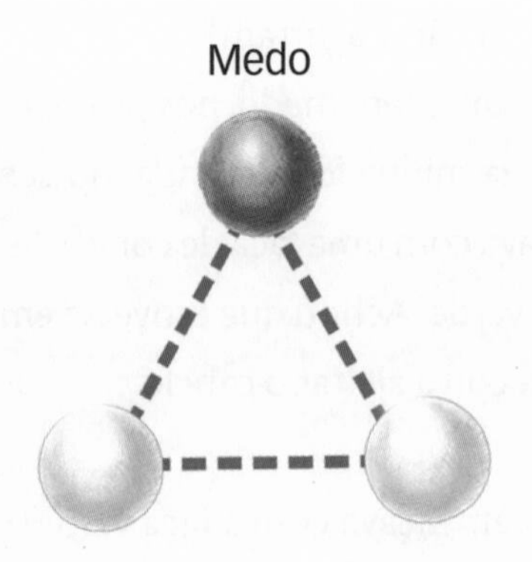

A melhor definição de **medo** que conheço é a de que são dores passadas projetadas no futuro. Tememos antecipadamente o que nos amedrontou no passado. É por isso que, normalmente, a criança não tem medo, pois ainda não tem um passado. E, para desespero dos pais, é ousada e atirada. Do jeito que gostaríamos de ser quando crescêssemos.

A coragem, como o medo, também está dentro da gente. Mas em vez de nos paralisar, como o medo, ela nos leva à ação. Veja o caso da minha amiga. Sua atitude foi interpretada pelas mulheres ao redor como um ato de coragem, principalmente porque ela agira, indiferente à ameaça do assaltante.

Se o medo se alimenta do que nos afetou no passado, a coragem deve ser vista como a capacidade de reavaliar, permanentemente, o presente. É o que nos leva a transformar a ameaça num desafio. E, mesmo com medo, enfrentar o desafio com uma atitude pró-ativa. Pois coragem não é ausência de medo. É a vontade de agir apesar do medo.

O medo real, em contraste com o medo virtual, que está só na sua cabeça, é positivo, pois nos ajudou a chegar onde estamos hoje. A reavaliar, constantemente, as ameaças recebidas e a enfrentar o perigo corajosamente. Mas, infelizmente, a grande maioria dos nossos medos é virtual, e não real.

A fome, numa determinada época, ensinava nossos ancestrais a buscar novas áreas para conseguir alimento. O medo real da fome os estimulava a ter a coragem de avançar para o desconhecido. Foi assim que, a partir das savanas africanas, ocupamos o mundo. Combinamos em nossas atitudes o medo e a coragem, num equilíbrio dinâmico do yin e do yang.

Portanto, o medo, quando nos estimula a avançar, é benigno.

Mas quando nos paralisa é um fator de desequilíbrio. É o caso dos medos virtuais, que nos tornam reféns de nós mesmos. E, sem ação, viramos presas fáceis de nossos algozes. Ou reagimos com uma raiva irracional, sem medir as conseqüências.

Diante da ameaça de demissão, por exemplo, você tem a opção de avaliar com calma a situação. Trata-se de uma ameaça concreta, ou é apenas uma intimidação? Se for intimidação, quais as atitudes que você pode tomar? Se o medo o dominar e paralisar, você vive uma situação que desequilibra suas energias e afeta sua capacidade de reação, ou seja, torna-o incapacitado até de agir reativamente à ameaça.

Portanto, é fundamental diferenciar o medo real – o ladrão ameaçando-nos com um revólver ou o ataque de um animal feroz – do medo virtual – a possibilidade de ter de falar em público ou a eventualidade de receber a chamada do chefe.

Raiva

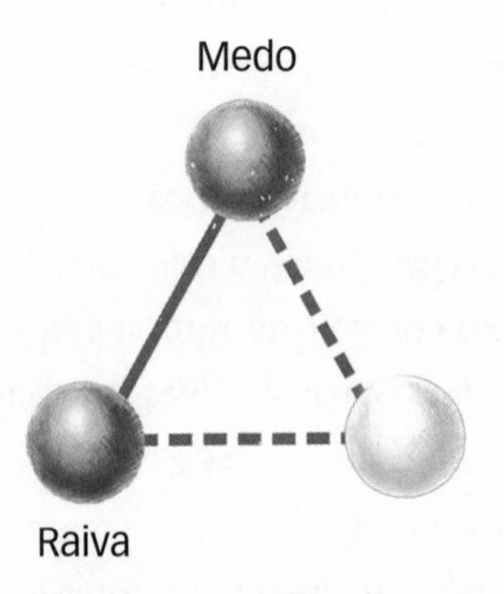

Já a **raiva** nos desequilibra na maioria das vezes que nos afeta. Se você é dominado pela raiva, seu sangue ferve e sobe para as faces. Daí a expressão "vermelho de raiva". Sua resposta é rápida e, quase sempre, impensada. A raiva também nos ajudou a sobreviver ao preparar nosso organismo para uma resposta rápida de contra-ataque em caso de ameaças diretas.

Ao contrário do medo, que faz o sangue fluir para as pernas preparando-nos para a fuga, deixando o rosto pálido e as mãos frias, a raiva faz o sangue subir e mobiliza nosso organismo para o contra-ataque fulminante. As pupilas se dilatam e a visão fica embaçada. O rosto se enche de sangue. Tornamo-nos ameaçadores. Primitivos.

No mundo em que você vive hoje, contudo, as reações raivosas o desequilibram, pois o levam a agir com os músculos, com gritos e com o uso de expressões descabidas. E o pior, paralisa seu raciocínio.

Evoluímos até a organização social que temos hoje, apoiados em nossa interação cultural. Disputamos posições, idéias e conceitos nos valendo da fala e da argumentação. Apoiados em abstrações e em conceitos sofisticados.

Desenvolvemos expressões, faladas e escritas, que reproduzem e traduzem nosso jeito de pensar. O refinamento e a forma como você apresenta sua idéia são fundamentais para decidir a disputa a seu favor. O argumento vencedor é consensual e inspirador.

A raiva, contudo, reacende nosso lado primitivo. Mobiliza nossos músculos para a ação. Modifica-nos fisicamente como se estivéssemos diante de um predador.

Quando lembramos de uma desfeita, um insulto ou um mal-estar causado por alguém, ficamos irritados com essa pessoa ou com o incidente. Por isso defino a raiva como dores passadas projetadas no presente. Injetadas diretamente na veia. Dores que nos levam a uma reação visceral. Agimos quase que sem pensar. Desastrosamente, na maioria das vezes.

Imagine tal situação dentro de um escritório. Por mais absurda que pareça, você já deve ter presenciado confrontos que nos remetem para as savanas. Gritos, faces avermelhadas, empurrões. Mesmo quando não se chega às vias de fato, fica no organismo todo o veneno da raiva não transformada em ação. Ou seja, prejudica do mesmo jeito.

Se tivesse virado sopapos, poderia até ser um alívio, mas criaria outro problema muito maior, que começaria com um boletim de ocorrência.

Por isso, para recuperarmos o equilíbrio, devemos, sempre que possível, arrancar cada ameaça do seu contexto. Avaliar como lidamos com situação semelhante no passado e meditar sobre seu potencial no presente.

A cada reflexão sobre a situação que ameaça transformá-lo num "cão raivoso", você conseguirá gerenciar suas reações. É o famoso contar até dez. Basta parar para pensar, respirar fundo, e aprenderá, com a prática, a reagir corajosamente e com sabedoria.

Uma outra alternativa é a de, antes de sucumbir à raiva e reagir, "afastar-se" mentalmente da ação e observá-la como um espectador em vez de participar dela como protagonista. Isso permite avaliar a situação com objetividade e de forma isenta, e não emaranhar-se com a situação emocionalmente, reagindo de maneira inconsciente e negativa. Você passa a controlar a situação, ao invés de a situação controlá-lo.

Meu filho, que é faixa preta em artes marciais, me ensinou que antes da luta ele provoca o adversário para testar sua reação. Se seu oponente fica com raiva, ele tem a certeza de que ganhará a luta, independentemente do porte, da estatura e da força do adversário.

Porque a raiva desestabiliza, desequilibra e cega. Faz com que se perca o controle sobre as ações. Tanto numa luta marcial quanto num conflito dentro de um escritório, ou mesmo dentro de casa. E, por isso, faz parte da trilogia do desequilíbrio, pois nos torna frágeis, mesmo quando temos competência para gerenciar e vencer o conflito.

Diante da ameaça, verifique o quão ela é virtual, o que já é em si um ato de reflexão e de serenidade. Você terá dado um importante passo para gerenciar sua raiva e colocar quem o ameaça na perspectiva adequada. E avaliar a ameaça real e imediata que o seu oponente representa.

Descobrirá, na maioria das vezes, que tentavam provocá-lo para arrancar alguma coisa de você. Com serenidade, manterá seu projeto de vida em perspectiva. Deixará de lado os ruídos causados por pessoas que, mesmo não ameaçadas, o temem.

Culpa

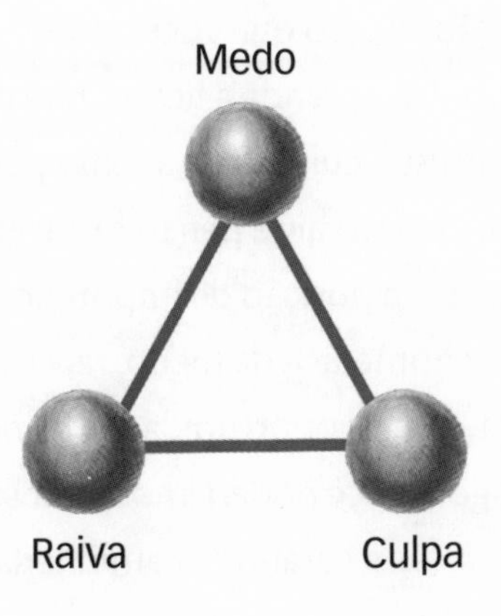

Basta que você repense as situações passadas em que sentiu medo ou raiva e verá a **culpa** rondando seus mais profundos sentimentos. Por isso, a culpa também faz parte da trilogia do desequilíbrio.

É também um sentimento virtual. Nunca conheci ninguém com culpa do eventual erro que cometerá amanhã. Simplesmente porque ninguém planeja o erro, que surge por acidente. E se tem intenções criminosas essa pessoa já venceu a barreira da moralidade e não sente nem culpa nem constrangimento por prejudicar seus semelhantes.

Para os cidadãos de bem, contudo, a culpa, como o medo e a raiva, é virtual e pertence à memória. A culpa, além disso, é pura perda de tempo. Mesmo nos casos extremos em que a pessoa mentiu, roubou ou pulou a cerca, sentir-se culpado não vai resolver nada.

O que foi feito, já foi feito. Pensar no assunto não vai desfazer o ato. É, na verdade, desperdício de tempo.

O que resolve é se "des-culpar" e aprender a lição. Conscientizar-se de que não se deve repetir o erro e só. Faça diferente na próxima vez. Transforme o evento em experiência.

A outra alternativa é rever sua escala de valores. E, quem sabe, avaliar se aquela atitude é realmente contrária aos seus princípios. Do fundo do coração, espero que você adote a primeira alternativa. Ou seja, desculpe-se, aprenda a lição e não erre mais.

Mesmo assim, insisto, culpar-se é apenas perda de tempo. Não traz benefício algum e não vale a pena porque nos arranca do presente e nos coloca numa posição de impotência no passado.

Além disso, os sentimentos de medo, raiva e culpa comprometem nossa sintonia com as oportunidades disponíveis no presente. Pois só no seu agora você poderá mobilizar suas competências, gerenciar novas alianças e garantir a caminhada rumo ao sucesso.

O fazer só pode ser realizado no momento presente. Nem antes, nem depois. Só no agora.

Viver sem medo, raiva ou culpa é estar conscientemente preparado para aproveitar as oportunidades. Estar pronto para receber o que sua esperança lhe insinua. Pois todo e qualquer evento futuro chegará a um tempo que será o seu momento presente. E você terá mais chances de aproveitá-lo se estiver com a alma livre de medos, culpas e raivas virtuais.

Focado no seu agora, sem culpas, medos e raivas, você ganha de presente, a cada instante, a renovação de sua vida. Deixa a criança que há em você assumir o controle. E renasce com tudo o que vem junto: a alegria da convivência com os amigos, o fechamento daquele contrato ou a contemplação do pôr-do-sol ao lado da pessoa amada. Enfim, viver a vida mais leve e mais livre. Pois você só pode ser livre e viver a vida agora.

Pontos para Reflexão

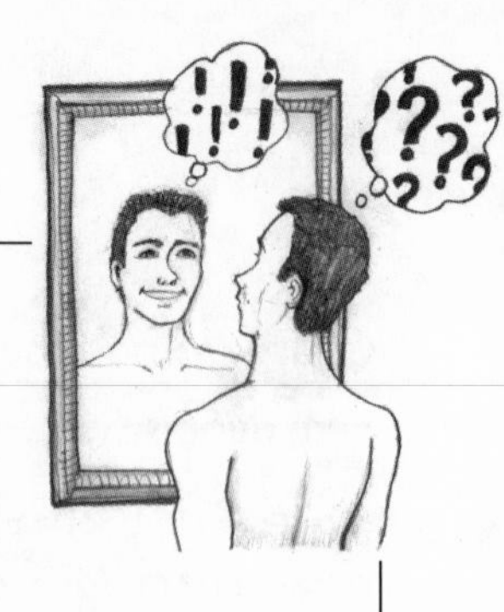

Pontos para reflexão – A trilogia do desequilíbrio nos ajuda a gerenciar, no presente, as ameaças virtuais do passado e que nos desequilibram: o medo, a raiva e a culpa.

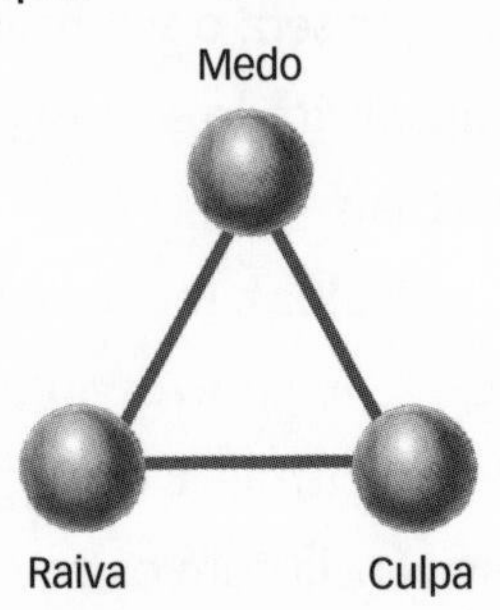

- **A criança que te protege** – Temos em nós uma criança que nos protege por se manter integrada ao Tao.
- **Medo** – O medo são dores passadas projetadas no futuro. Diferencie o medo real, que ocorre raramente, do medo virtual, que compõe a maioria dos nossos medos.
- **Raiva** – A raiva são dores passadas projetadas no presente. Ela nos desequilibra e nos cega. Ao sentir a raiva chegando, afaste-se da situação e observe-a como um espectador, não participando como protagonista.
- **Culpa** – A culpa, além de nos desequilibrar e nos paralisar, é pura perda de tempo. Para livrar-se da culpa, "des-culpe-se" e aprenda com a experiência. Alternativamente, reveja sua escala de valores.
- **Presente** – Focado no seu agora, sem culpas, medos e raivas, você ganha de presente, a cada instante, a renovação de sua vida.

A TRILOGIA PARA OS FILHOS

Como ensinar seus filhos a ser pessoas livres por meio da educação.

Educação como prática da liberdade

Emigramos da China em 1951. Meu pai, minha mãe, meus seis irmãos e eu. Uma das minhas irmãs foi para Taiwan viver com nossos tios. Meu pai era general da China Nacionalista. Após Mao Tse-tung tomar o poder, em 1949, decidimos emigrar. Primeiro fomos para Hong Kong. Depois, em outubro de 1951, viemos para o Brasil, um dos poucos países que aceitavam imigrantes.

Por isso, sou muito grato a este país, que recebeu minha família de braços abertos. Sou brasileiro por opção e de coração. Adoro este país. Tenho orgulho de ser brasileiro.

Meu pai, na China, era um homem poderoso e de muitas posses. Mas chegamos ao Brasil com uma mão na frente e outra atrás. Os exércitos de meu pai foram reduzidos à nossa família. Víamos nele o grande condutor do nosso futuro. O que não mudava o fato de as necessidades nos constrangerem todos os dias.

Saúde

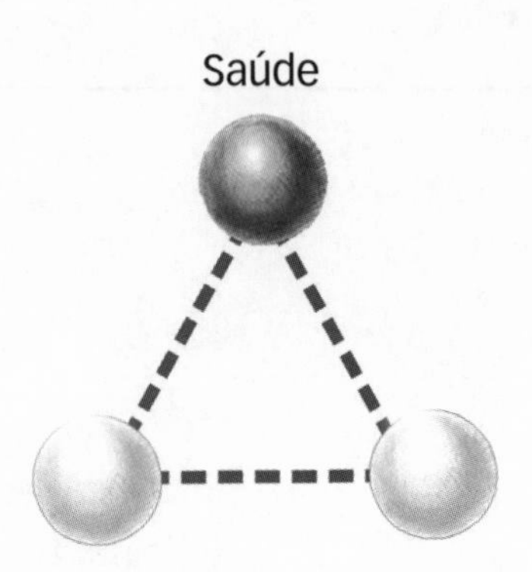

Meu pai reuniu os filhos e disse: "Mamãe e eu não temos muito conforto material para oferecer a vocês, mas prometemos garantir o melhor em três áreas: **saúde, educação e auto-estima**".

Óbvio que nós, ainda crianças, não entendemos direito o discurso emocionado de papai. Que continuou: "Conseguiremos o melhor que o dinheiro pode pagar em saúde e educação e nos empenharemos para que cada um de vocês cresça confiante em si mesmo".

Educação

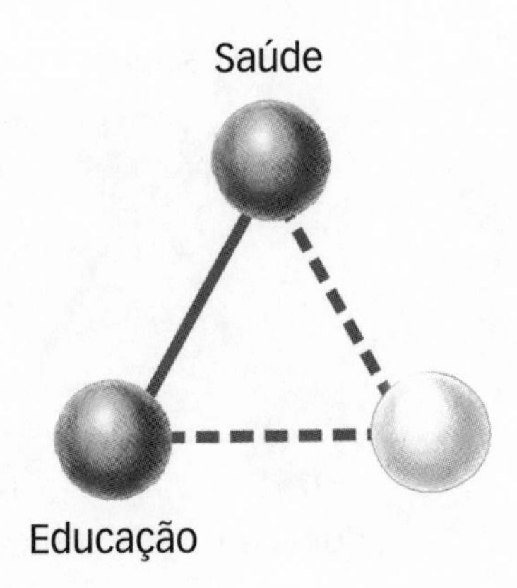

Continuamos sem entender o que seria investir em saúde e em educação. Mas os olhares do meu pai e de minha mãe tinham tanta determinação, tanta ternura, que até hoje, mesmo após tê-lo perdido no dia em que completou 98 anos de idade, me emociono com a primeira visão que tive do meu futuro e do de meus irmãos.

Auto-estima

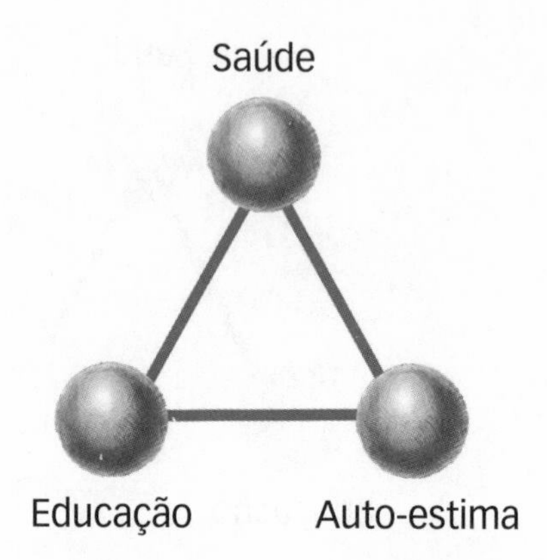

Só fui entender o significado de auto-estima anos depois. Mas naquela hora senti a determinação nos olhares dos meus pais, que nos proporcionaram os melhores colégios, cursos e professores.

E, o mais importante, nos estimularam continuamente a ter acesso às informações, à cultura e ao conhecimento. Fizeram de nós pessoas capazes, competentes e seguras na área profissional. O mérito de ter filhos formados, com pós-graduação e Ph.D. em medicina, como é o caso de dois irmãos meus, é inteiramente dos meus pais.

Até mesmo o amor que eles nos dedicaram, apesar de intenso, tive dificuldade, na infância, para traduzir para a cultura ocidental em que me formava. Diferentemente dos pais ocidentais, ou seja, os pais dos meus amigos e colegas de escola, nossos pais raramente nos abraçavam e beijavam. Enquanto esteve vivo, meu pai me beijou apenas uma vez. A ponto de eu, muitas vezes, ter me perguntado: será que meu pai me ama?

Hoje eu sei o quanto meu pai e minha mãe me amaram. A forma oriental de amar é educar, ensinar. Convenhamos que o abraçar e o beijar são muito positivos. Mas é uma forma de criar vínculos uns com os outros, de "*prender*" uma pessoa à outra.

No entanto, ao abraçar e beijar nossos filhos sem uma entrega total para educá-los e ensiná-los, corremos o risco de criar dependência emocional. De mantê-los, permanentemente, na expectativa indevida de nossa aprovação.

Meu pai vivia nos educando. Para ele, "*educar*" é igual a "*aprender*", que é o oposto de "*prender*". Ou seja, "*des-prender*".

Aprender, no contexto oriental, significa libertar, soltar, dar asas à imaginação, estimular a independência.

É o lado prático da parábola chinesa: em vez de dar o peixe, ensinar a pescar. A forma oriental de amar os filhos é, portanto, educá-los de tal maneira que se criem condições para "a-prender", que é o oposto de prender. É libertá-los, soltá-los, fazê-los evoluir e melhorar.

Descobri também que no Ocidente usamos a palavra amor como um substantivo, no sentido de expressar o amor pelas pessoas. Só sentir amor por alguém tem pouco valor. Temos de transformar a palavra amor em verbo, em ação, como aprendi com meus pais.

Amar é fazer a pessoa crescer. Amar é dar condições para a pessoa amada desenvolver todo o seu potencial como ser humano. Que bela definição! E, no caso dos meus ou dos seus filhos, educar é a forma mais nobre de amar. Pois é através desse amor que nós os tornamos pessoas livres e imbuídas de auto-estima.

Alonguei-me um pouco na história de minha vida para que você entenda um pouco os meus códigos, que se apóiam nessa mistura maravilhosa que é a cultura oriental dos meus pais com o meu aprendizado, à brasileira, da objetividade ocidental. O ideal é, obviamente, educar e também dar beijos e abraços.

Sem amor, serão jovens inseguros

Ao ver pais e filhos em conflito, acredito que posso contribuir ao insistir, como faço neste livro, que libertar os filhos por meio da educação é a garantia do sucesso deles, como seres humanos, profissionais ou líderes.

O pai e a mãe que entregam sua vida ao trabalho e, na falta de tempo ou energia, entopem seus filhos com presentes, comprometem a via emocional para transmitir o amor.

O amor pelos filhos, traduzido em apoio às próprias iniciativas, é o principal estímulo para que eles alcem vôo. Para que se tornem pessoas realizadas e, o mais importante, para que se sintam preparados para enfrentar o mundo.

O filho que se sabe amado eleva sua auto-estima acima da média, sem se tornar arrogante. E, ao perceber que seus pais acreditam nele, ele mesmo aprende a acreditar no próprio potencial e no potencial das pessoas ao seu redor.

A partir da educação cria-se o círculo virtuoso. A auto-estima se traduz, no relacionamento com o seu próprio meio, em autoconfiança. Que se percebe pela postura. O que prova, por sua vez, que se trata de uma pessoa que desenvolveu o autoconhecimento.

É essa entrega incondicional dos pais que prova, na prática, o amor aos filhos. Um amor que será percebido e sentido como estimulante para suas vidas. Mesmo que recebam Ferraris ou roupas de marca de presente, se não receberem amor, serão jovens e adultos inseguros e carentes.

O amor, resultado da ação incondicional dos pais, é essencial para que nos tornemos seres humanos melhores. É a base que nos torna capazes de construir uma vida equilibrada e feliz. E a melhor prova de amor, além dos beijos e abraços, é a educação.

Se você é pai ou mãe não se angustie se não tiver dinheiro suficiente para oferecer bens materiais aos seus filhos. Lembre-se de que o que eles mais precisam para crescer saudáveis, fortes e bem-aventurados é ter a certeza de que você estará lá dando seu suporte, sua atenção e seu amor. Quando eles precisam, e não quando você pode. E somente os pais são capazes de entregar o código do amor-ação, transferindo aos filhos, além da vida, a emoção de viver.

Desenvolver os dons

Ao olhar para muitos pais modernos, ansiosos e inseguros, vejo seus filhos recebendo uma educação com pouco estímulo dentro de casa, submetidos à linguagem do "não" em excesso. É "não" para isso, "não" para aquilo. Toda criança, sem exceção, recebeu vários dons: imaginação, naturalidade, curiosidade, espontaneidade, destemor, etc.

Se seu filho (ou filha) recebeu um dom, precisa desenvolvê-lo. Educar é ajudá-lo a desenvolver o dom, seja para se tornar um superatleta, um grande cantor ou uma poderosa liderança, capaz de ajudar a inspirar as pessoas ao seu redor.

Muitas vezes, os pais, bem-intencionados mas ainda longe de atingir o próprio equilíbrio, apostam no "não". Em vez de desenvolver as habilidades e dons dos filhos, reduzem, controlam e abafam as manifestações de criatividade. Resultado: criam adultos temerosos, passivos, reativos, com pouca curiosidade e sem humor.

Isso, sim, é crime.

É nossa obrigação desenvolver pessoas cada vez mais elevadas, criativas, corajosas e imaginativas. Preparar nossos filhos para que atinjam o seu potencial. Mas para conseguir transmitir essa sabedoria temos de romper com nossos condicionamentos e crenças. Que nos são, muitas vezes, impostos pelo aprendizado que herdamos de nossos pais, mas também da escola, das entidades religiosas e da cultura de nossa época. Devemos estar atentos para, junto com nossos filhos, reavaliar a influência das instituições que reprimem e controlam por meio do medo e da culpa.

Precisamos ajudar nossos filhos e filhas a se tornarem pessoas responsáveis. No sentido pleno de responsabilidade moral, como está definido no Dicionário Aurélio: "Situação de um agente consciente com relação aos atos que ele pratica voluntariamente". E junto com nossos filhos transformar a família no núcleo mais poderoso de nossa comunidade.

E o amor?

E você me pergunta: e o amor?

Transferir para os filhos o melhor que pudermos em termos de saúde, educação e auto-estima é o próprio **amor**. É um ato de amor genuíno e incondicional.

O amor de um pai e de uma mãe é contagiante. Ao se associar aos cuidados permanentes com a saúde e educação dos filhos, a família se torna um núcleo que constrói a comunidade que se pautará pela liberdade.

Ao investir na trilogia saúde, educação e auto-estima, recriaremos, dentro de casa, o poder transformador da interação humana. E juntos, pais e filhos, vamos transformar a convivência familiar em eventos permanentes, em que o amor-ação nos permitirá atingir, com mais segurança, a realização do nosso pleno potencial como ser humano.

Pontos para reflexão – A trilogia para os filhos nos ensina a dar e garantir aos nossos filhos saúde, educação e auto-estima. E a entregar-lhes algo até mais precioso que o próprio amor: a liberdade, que é o direito de ser o que se é.

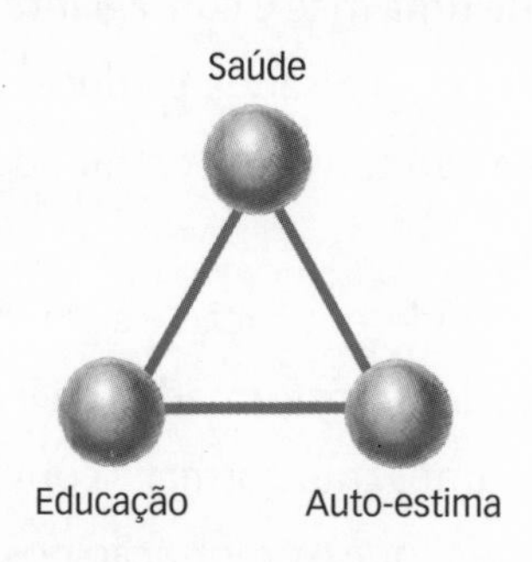

- **Saúde, educação e auto-estima** – Não se angustie se não tiver dinheiro suficiente para oferecer bens materiais aos seus filhos. Eles precisam do seu suporte, da sua atenção e do seu amor para crescer saudáveis, fortes e bem-aventurados.
- **Amor vs. Amar** – Amor é um sentimento; é o substantivo. Amar é a ação; o verbo. Amar de verdade é dar condições para a pessoa amada desenvolver todo o seu potencial como ser humano.
- **Desenvolvendo os dons** – É nossa obrigação desenvolver as crianças para que se tornem pessoas cada vez mais elevadas, corajosas, espontâneas, criativas e imaginativas. O contrário disso é, sim, um crime.

A TRILOGIA DO SUCESSO PROFISSIONAL

Como criar um círculo virtuoso apoiado em suas habilidades que é imediatamente assimilado pelas pessoas ao seu redor.

A competência de ultrapassar a própria excelência

Você pode até não saber ou, o que é mais provável, saber e não contar para ninguém. Mas só se vincula à vida produtiva, seja através do mercado de trabalho, como artista ou ativista social, por meio da **competência**, do **trabalho** e da **sorte**. Que em vez da sorte aleatória das loterias deve ser a sorte transformadora, ou seja, favorecida pela sua **atitude**. Porque a sorte você não controla. Mas a sua atitude sim.

É a trilogia do sucesso profissional, que, mesmo quando é exigida formalmente, deve ser praticada intuitivamente, apoiada em atitudes que se renovam todos os dias e se combinam entre si, pois não basta ter competência sem trabalho, ou trabalho sem sorte, ou sorte sem competência.

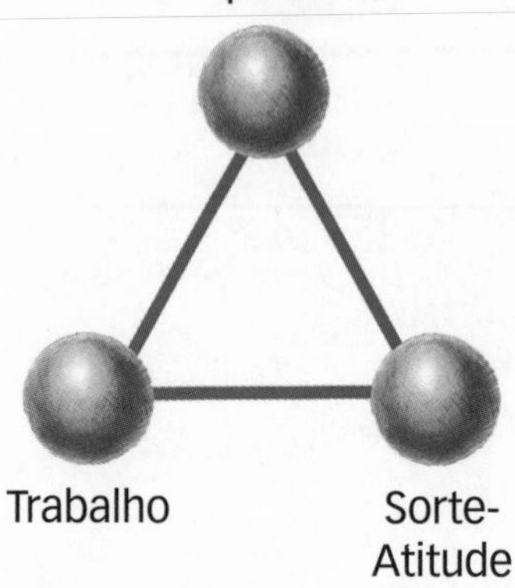

Vamos, então, tratar o assunto por partes.

Afinal, o que é competência? No Dicionário Aurélio você encontra a seguinte definição: "competente [do lat. *competente*] Adj. 2 g. 1. Que tem competência; legal, suficiente, idôneo, apto. 2. Próprio, adequado".

Se você reduzir sua definição de competência ao que encontra no dicionário num eventual currículo, provavelmente não será convidado nem para a primeira entrevista.

Evite, então, vincular seu talento a um conceito definitivo de competência. Por exemplo, muita gente se define como um marceneiro profissional. Pode até ser. Ou se apresenta como profissional de TI (tecnologia da informação). Mas o que exatamente isso significa?

Porque assim que conseguir atingir o que usualmente você e seu grupo de referência entendem por competência, em qualquer área ou assunto, já estará numa posição ultrapassada.

Em vez de buscar uma definição, que em muitas situações se confunde com cargos, funções ou títulos, sugiro a equação simples, que é a razão deste livro: o sucesso está no equilíbrio. Entre em sintonia com o melhor que há ao seu redor. E supere-o com sua excelência.

Porque competência é o que o estimula a avançar. E, ao atingir um grau de excelência, você, em sintonia com o autoconhecimento e com as pessoas à sua volta, reavaliará seu histórico de conquistas. E avançará.

Empenhamo-nos para ser competentes, independente da área em que resolvamos sobreviver. E apesar do nosso esforço não conseguiremos ser absolutamente competentes. Tem algo a ver com a sabedoria. Assim que atingimos um estágio ideal de competência, a ambição e a sabedoria nos fazem avançar mais um pouco, mas na direção certa. Competência é, portanto, um conceito que extrapola e supera as definições da posição que ocupa na sua vida produtiva.

Competência está associada também com competição. Ao confundir competição com resultados, muita gente quer vencer a qualquer custo. Atropelam parceiros, traem sócios, comprometem ideais.

Até para competir tem de haver competência.

Competência é um conceito dinâmico, que só é captado em movimento. Nos campeonatos de futebol disputados por fases classificatórias e eliminatórias, como acontece na Copa do Mundo, o campeão e o vice têm mais ou menos a mesma competência. Mas esquecemos rapidamente qual time foi o vice-campeão da última Copa.

Por exemplo, na seleção de profissionais para uma única função de CEO (Chief Executive Officer), o segundo colocado perde-se no limbo. E, se quiser continuar sua carreira, terá de ser selecionado em outra corporação, deixando de fora os seus concorrentes.

O simples fato de você me ler, agora, significa que é o resultado vitorioso de uma competição pela vida. Você é o resultado da eliminação de pelo menos 200 milhões de espermatozóides concorrentes. Só um teve sua competência validada ao fecundar o óvulo de sua mãe e fez surgir esta maravilha que é você.

Competência, portanto, é muito mais do que vencer uma competição. Tem a ver com a capacidade de criar condições para, isoladamente ou em equipe, tornar-se competitivo.

Captar e se apoiar nos detalhes do mundo

Apesar de competência ser um conceito captado em movimento, você não precisa estar correndo para lá e para cá para mostrar sua competência.

Mas seu espírito, sim.

Deve focar em várias alternativas ao mesmo tempo, ser excitado por toda e qualquer insinuação, aceitar o menor estímulo e tentar entender como os vários pontos se combinam para montar a figura completa.

Eu tenho um quadro de que gosto muito, que reproduz a face de Albert Einstein. A obra fica na sala da minha casa de campo. De longe, você percebe seus traços imponentes. Quando se aproxima, vê que o quadro é montado a partir de pastilhas coloridas.

Vale o mesmo para tentar captar os vários sentidos de competência. De perto, talvez você só veja um detalhe. De longe, você tem a idéia do conjunto. As pastilhas sustentam o conjunto, desde que combinadas adequadamente. Com arte, sofisticação e leveza.

Ao nos comparar com o quadro feito de pastilhas coloridas, devemos registrar que somos ao mesmo tempo a pastilha, a visão distanciada do conjunto e os responsáveis pela combinação final. Por isso, muitas vezes é difícil para nós mesmos definir (e perceber) o quão competentes somos.

Mas é imperativo que desenvolvamos as nuances dessa percepção. Para tanto, precisamos reavaliar continuamente nosso desempenho em relação aos apresentados pelas pessoas ao nosso redor. Ser competente, portanto, exige esforço continuado, ou seja, capacidade de trabalho.

Conheço pessoas extremamente competentes, mas preguiçosas, que não querem se dedicar com afinco às suas atividades. Essas pessoas não vão muito longe. Da mesma forma, existem outras que trabalham longas horas, são dedicadas, mas não competentes.

Dificilmente esses dois tipos de pessoas se destacarão social ou profissionalmente ou sobreviverão com tranqüilidade nas suas funções. É preciso, portanto, combinar competência com trabalho para aumentar as chances de conquistar o sucesso. Pessoal, profissional e social.

Como?

Trabalhar por longas horas sem estar alinhado à estratégia da empresa, tampouco inserido nas expectativas da equipe, da direção da empresa, de seus acionistas e dos clientes finais pode resultar, em vez dos resultados esperados, em um ataque cardíaco.

Exige-se o esforço continuado que harmonize o detalhe com o conjunto esperado. Lembre-se das pastilhas que compõem a imagem de Albert Einstein. A imagem se forma para nós em razão de cada pastilha ter sido devidamente fixada no local certo, o que exige esforço, dedicação e escolhas.

O trabalho final, aí sim, salta aos olhos e será a imagem de Albert Einstein se formos competentes. Ou seja, aumentamos nossas chances de acerto quando, intuitivamente, harmonizamos cada momento de nossa atuação com a visão, também intuitiva, do conjunto.

É a definição mais próxima a que consigo chegar de sorte transformadora, que é favorecida pela nossa atitude diante da vida. É ela que dará o ritmo, a batida forte do nosso coração, que faz surgir aquele trabalho final e transformador, e não outro.

Um resultado que lhe dê alegria e que satisfaça simultaneamente clientes e acionistas. O CEO e o chão de fábrica. É a sorte sustentada por sua atitude que explica o seu sucesso e que só se renova com mais trabalho, mais competência e mais sorte. Levando você, agora sim, a se apoiar na equação "o sucesso está no equilíbrio". Pois, se concentrar esforços em apenas um dos aspectos desta trilogia, você cria uma estrutura desequilibrada e ineficiente. Lembre-se de que um tripé é tão forte quanto sua perna mais fraca.

Para serem vitais, os indicadores de sorte-atitude, trabalho e competência devem ser continuamente reavaliados e validados por você, a fim de garantir o desempenho no conjunto.

E quanto mais equilibrado e sintonizado você estiver com o ambiente ao seu redor – a começar pela sua equipe, empresa, clientes e acionistas, sem esquecer sua família, parentes e amigos – mais facilmente captará as nuances que lhe ajudarão a entregar o produto ou serviço que suprirá as necessidades do tipo de mercado ao qual se dedica.

Atenderá e fará valer o fator NED – Necessidade, Expectativa e Desejo do seu cliente. Toda e qualquer ação estratégica ou iniciativa de uma empresa é feita para atender ou satisfazer algum NED. O que justifica o investimento, desde o seu início. É o fator NED que deve estimular as decisões de curto e médio prazo. Isso posto, vê-se claramente a importância e até a obrigatoriedade de os dirigentes da empresa estudarem psicologia ou o comportamento humano para poderem melhor e mais eficazmente entender e atender às necessidades, expectativas e desejos dos seus clientes. Dada a importância do assunto, tenho incentivado o estudo da psicologia nas escolas até como matéria obrigatória. No mínimo servirá para conhecer a si próprio, o que não é pouca coisa.

Ao captar a trilogia do sucesso profissional, você atinge outro estágio na sua relação com o seu mundo. Descobrirá, por exemplo, que vale a pena ter competência com elegância, arte e criatividade. É a condição de reproduzir, continuamente, a obra de arte que é sua sobrevivência neste planeta. E se tornar merecedor de uma vida extraordinária. Em família, em equipe e na sua empresa.

Sua sorte será imitada

Ao atingir uma nova etapa de sua vida, você descobre que mesmo combinando a trilogia do sucesso profissional – sorte-atitude, trabalho e competência – terá de se manter pró-ativo para renová-la continuamente. A razão é simples. Quando sua trilogia do sucesso profissional se manifesta, as pessoas ao redor a percebem e assimilam rapidamente seu estilo.

Num primeiro momento, você perceberá os que o imitam como uma forma de ampliar sua influência. Mas, se relaxar nos louros da fama, será atropelado pelos imitadores, que se tornarão seus concorrentes. Apesar (e principalmente) de terem se inspirado em você.

É aí que entra aquele algo mais, o extra, o diferencial. Que você tem e que melhora e se sofistica a cada vez que você o utiliza.

É o que chamo de **fator WOW!**

É a atitude que gera a diferença de maneira continuada. Que o mantém sempre um passo à frente de seus concorrentes. E que reforça nos seus amigos e parceiros a percepção de que você se dedica exclusivamente a eles.

Pode ser o carisma, pode ser um brilho próprio, mas será sempre um diferencial, às vezes, difícil de descrever. Mas quem desenvolve e mantém esse WOW! é alguém de enorme sucesso. E quando você o manifesta, torna-se, para você mesmo e principalmente para as pessoas que convivem com você, um ser extraordinário.

Uma experiência WOW!

Tive o privilégio de vivenciar e confirmar esse elemento WOW! Uma linda experiência, que compartilho com vocês.

Acabara de chegar de uma viagem à Inglaterra, onde tinha passado uma semana em reuniões do conselho da Korn/Ferry. Eram 10 horas da manhã da sexta-feira quando o táxi do aeroporto me deixou em casa. Estava cansadíssimo.

Minha esposa me recebeu e me disse que tínhamos um jantar naquela noite. Eu pedi que ela nos representasse, pois teria de trabalhar o dia todo. E estava realmente cansado. Ela insistiu. Disse-me que se tratava de um convite de uma escola da qual eu havia sido membro do Conselho. E que faziam questão da minha presença. Não havia como escapar.

Tive uma sexta-feira cheia no escritório. Além disso, tive de ir ao dentista às 19 horas para cuidar de uma obturação. Eram 20h55 quando cheguei ao Rubayat.

Quando entrei no restaurante, não encontrei ninguém da escola. Minha esposa estava chegando também. Disse para ela que o lugar deveria estar errado. Ela confirmou o local e me disse que deveríamos, então, procurar o maître, seu Antonio.

Quando o procurei e me identifiquei, levei um susto com a empolgação com que pronunciou meu nome: "Robert Wong!" Sua recepção foi entusiasmada. Seu Antonio continuava a repetir: "Senhor e senhora Robert Wong, que prazer, que honra recebê-los".

Aquele senhor alto e corpulento me deu um grande abraço e nos conduziu à mesa principal do restaurante. Quando vi que era uma mesa para duas pessoas, quis saber do restante da turma. Ele me disse que a reserva era apenas para o casal.

Neste momento, olhei para minha mulher, com uma expressão que prefiro nem lembrar. "Benzinho, adorei a surpresa. Mas precisava ser hoje?" Ela insistiu que não sabia o que estava acontecendo. O que não era completamente verdade. Mas enfim...

O maître nos trouxe então um lindíssimo arranjo de flores, contendo um cartão com os seguintes dizeres: "Dearest Mom and Dad, o jantar é por minha conta hoje à noite. Estou tão feliz e realizado. Acabo de receber meu primeiro salário. E dizem que quando você recebe seu primeiro salário deve usar esse dinheiro com as pessoas mais queridas e amadas. E vocês, papai e mamãe, são as criaturas que eu mais amo, adoro e venero neste mundo. Eu queria muito estar hoje aí com vocês, mas vocês sabem que é impossível, já que estou aqui nos Estados Unidos fazendo faculdade. Mas esse jantar é uma forma muito singela, pequena, que encontrei para agradecer vocês por tudo o que fizeram por mim até hoje. Então divirtam-se e apreciem o jantar, que ele foi preparado com muito carinho. De uma pessoa que realmente sente muitas saudades e quer muito bem a vocês dois. Beijos carinhosos do filho, a 8 mil milhas de casa, Victor de Almeida Wong".

Isso é WOW! E, se um garoto de 18 anos pode fazer WOW!, significa que todos nós também podemos.

Nesta altura o cansaço já tinha se evaporado. E entendi a emoção do maître ao nos cumprimentar. Ele nos disse que em 20 anos de carreira já havia visto maridos oferecendo jantares para suas esposas, homens para suas amantes, mas o que meu filho fizera fora único. Segundo seu Antônio, Victor ligava todos os dias, acertando os detalhes, escolhendo o vinho, orientando sobre a mesa a ser reservada, definindo o arranjo de flores. Interferiu até mesmo no cardápio. Fez questão de tratar dos mínimos detalhes para que a noite fosse perfeita.

Ao final do jantar, pedi a conta. O maître informou que já estava paga. Então insisti em pagar, ao menos, a gorjeta. Ele respondeu: "Senhor Wong, recebi instruções claríssimas do seu filho para não aceitar de vocês nem um centavo. Caso contrário, seria um homem morto e não pretendo morrer ainda".

Isto é WOW!

Pontos para Reflexão

Pontos para reflexão – Trilogia do sucesso profissional – Combine competência, trabalho e sorte-atitude e transforme a sua luz interior em raio laser. Um raio laser que consolida o seu fator WOW! e o torna uma pessoa extraordinária e necessária para seus amigos e parceiros. Faça tudo com WOW!

- **Sorte e atitude** – A sorte é aleatória. A atitude você pode escolher. A sua atitude, bem escolhida, favorece a sua sorte.
- **Captar os detalhes do mundo** – Mantenha seu espírito em prontidão indagadora, checando e avaliando as várias alternativas que o mundo lhe oferece.
- **O fator NED** – Fique sempre atento às Necessidades, Expectativas e Desejos dos seus clientes. É o fator NED que deve nortear toda e qualquer decisão estratégica. Estude psicologia e comportamento humano. Vai valer muito – no mínimo para entender melhor a si próprio.
- **Seja WOW!** – Faça amor com WOW! Realize um trabalho WOW! Prepare uma refeição WOW! Dê um abraço WOW! Viva a vida com WOW!

A TRILOGIA DOS 3 Cs

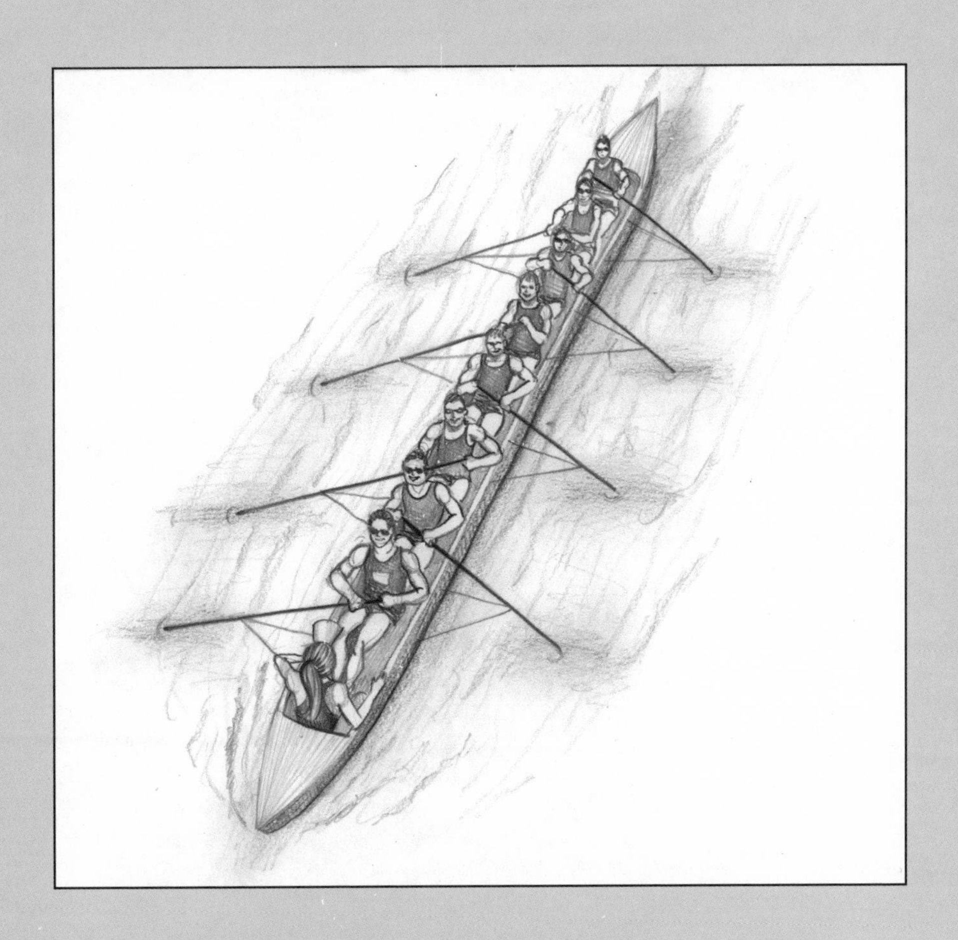

Como estimular pessoas a seguir suas sugestões.

Comunicação

Estar bem informado e saber se comunicar colocam você em um estágio bem mais consciente. Tanto no que diz respeito à sua expertise, pois comunicar é uma arte, como pelo fato de situá-lo no centro de soluções de problemas. Por isso, comunicação é o primeiro C dessa nossa trilogia.

Comunicar tem muito a ver com analisar, ponderar e fazer as ligações não percebidas ou não explicitadas com clareza pelo conjunto. E, em seguida, correr o risco de apresentar uma síntese que seja de utilidade imediata para os problemas propostos. E saber expor as conclusões.

A minha analogia sobre a **arte de comunicação** é a seguinte: Deus foi muito sábio ao nos criar. Vejam só o posicionamento do principal órgão de comunicação do corpo humano.

Ocupando posição destacada, de cima para baixo, em cima dos ombros, fica a cabeça, que é um invólucro seguro para o cérebro. Deus nos preparou para, antes de falar, pensar. E nos deu de presente a máquina mais sofisticada do mundo: o cérebro.

Ganhamos também um par de olhos, que se combinam perfeitamente com nosso cérebro. Reforçando, ainda mais, a mensagem divina: depois de pensar, observe. Observe seu interlocutor, sua platéia, o ambiente, o momento e a *body language* das pessoas.

Para não deixar dúvidas, fomos premiados com um par de ouvidos. A mensagem divina é mais clara ainda: depois de pensar e observar, é o momento de ouvir duplamente, não apenas porque temos as duas orelhas, mas para ouvir as vozes externas e, principalmente, a nossa voz interior. A voz dos nossos sentimentos e da intuição.

E, por último, falar.

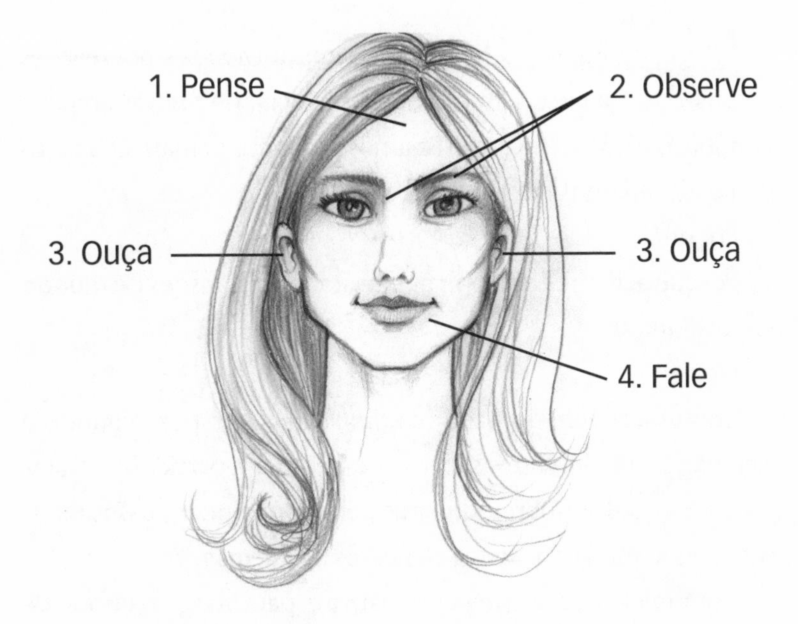

De preferência, com a consciência de que nossos interlocutores saberão pensar, observar, analisar e nos ouvir atentamente. Para só depois também se manifestarem.

Em vez de seguir o que seria natural, pensar e ouvir antes de falar, o que se percebe, em reuniões de diretoria, numa entrevista de emprego ou numa discussão em família é que, antes de mais nada, as pessoas falam.

As pessoas vomitam as palavras, muitas vezes sem filtro algum. Para depois escutar a resposta, observar as reações e, por último, pensar na besteira que falou ou nas conseqüências das próprias palavras. Exatamente na seqüência contrária do que deveria ser.

Existe um ditado chinês que diz: "Você é senhor do que não disse e escravo do que disse", que se encaixa perfeitamente nesta situação. Sábias palavras...

Somos, muitas vezes, levados pela impulsividade e por reações impensadas. Falamos sem ponderar, raciocinar e prestar atenção no público e no interlocutor. Falamos e falamos demais. O oposto do que deveríamos fazer.

Por quê?

Porque achamos que opinar e relatar nossas visões de mundo é se comunicar.

Não é.

Comunicar vem do latim *communicare* e significa, segundo o Dicionário Aurélio, "fazer saber, tornar comum, participar". Trata-se de significados nobres, que nos permitem ajudar nossos interlocutores a resolver os seus e os nossos problemas.

Comunicar é uma arte participativa e, para atingir o estado de excelência que se exige para a sua prática, é muito importante que tenha desenvolvido o seu autoconhecimento.

Que conheça bem o seu potencial e, principalmente, os seus próprios códigos. E que ao longo da vida tenha sido capaz de se traduzir bem para as pessoas ao seu redor. Depois, investigar os perfis do grupo, suas necessidades e seus respectivos códigos de linguagem.

Além desse esforço, temos de entender quais são os objetivos da equipe. Quer construir uma escola ou uma casa de campo? Estamos preocupados em vencer um concorrente de tecnologia de informação ou com um novo plano de vendas para os softwares da empresa? Nosso filho está com dificuldade em decidir qual carreira seguir?

Depois de muita reflexão, e só depois, é que apresentamos nossas teses. Que devem ser adequadas ao formato que os interlocutores precisam. Sem arestas, prontas para ser usadas na solução das dificuldades amplamente discutidas.

Comunicar-se é, cada vez mais, descartar informação. Condensar apenas o essencial para as soluções esperadas. Repetir, em sua vida, a sabedoria do mestre Lao Tsé, que disse: **"Para acumular conhecimento, acrescente uma coisa nova todos os dias. Para acumular sabedoria, descarte algo todos os dias"**.

Veja estes dois exemplos:

O *Guinness Book of Records*, de 1996, registra na página 141 a carta mais curta da História. Em 1862, Victor Hugo, autor do *Corcunda de Notre Dame*, saiu de férias logo após a publicação de seu livro *Os miseráveis*. Não conseguiu segurar sua curiosidade sobre as vendas do livro. Escreveu, então, a primeira carta mais curta de que se tem notícia. Enviou para seu editor um papel com uma "**?**".

Seu editor respondeu à altura, com todas as informações necessárias. E, numa folha de papel, escreveu "**!**". A segunda carta mais curta da História.

Com a proliferação de celulares no Brasil, já se nota, para desespero das operadoras, pessoas levando as práticas de Victor Hugo ao extremo. O número de celulares no país chegou a 65,6 milhões em 2004. Cerca de 19,2 milhões de aparelhos a mais em relação ao ano anterior. Ou seja, o crescimento do número de aparelhos no período foi de 41,47%, o que fez surgir formas criativas e sem custos para se comunicar.

Funciona assim: as pessoas marcam horários para buscar os parentes no shopping ou na discoteca. No horário previamente combinado, ligam, apenas. Do outro lado da linha, a esposa vê que é o marido que ligou e se dirige para a porta do shopping. Ou a filha acerta a conta na danceteria e sai para esperar o pai lá fora.

Nas duas situações, foi possível se comunicar e eliminar informações redundantes. Na segunda, ainda economizou impulsos telefônicos.

As organizações, sejam ONGs ou grandes empresas, ainda estão longe de conseguir tal eficiência. Infelizmente. Mas se lembro o extremo é para que aprendamos a valorizar os comunicadores que nem sempre percebemos dentro dos escritórios e das linhas de produção. Ou a nos tornar um deles. E registrar, também, que comunicar estabelece níveis mais naturais, nobres e eficientes de relacionamento entre as pessoas. Algo que pode ser aprendido e reproduzido por imitação ou por transferência de atitudes.

A forma de se comunicar

Há formas e formas de nos comunicarmos. Lembro-me de uma parábola oriental que bem transmite esta lição.

Havia um rei que acordou de manhã apavorado, pois havia tido um horrível pesadelo. Sonhou que tinha perdido seus dentes, uma a um, até ficar totalmente desdentado. Convocou o sábio da corte e perguntou-lhe qual o significado desse sonho. O velho sábio, por cima de sua longa experiência, disse-lhe: "Oh, sua Majestade, este é um mau augúrio. Cada dente representa um parente ou ente querido que V. Exa. vai perder".

"Mas eu sonhei que perdi todos os dentes!", exclamou o rei desesperado.

"Ah, isso quer dizer que o senhor vai perder todos os seus familiares e entes queridos", declarou o velho mestre.

"Prendam este homem! Como ele ousa falar isso para mim, que sou o rei! Não posso aceitar isso!", esbravejou alucinado. Os guardas imperiais arrastaram o homem para fora.

Não satisfeito com a explanação que ouviu, o rei chamou o segundo sábio.

"Tive um pesadelo e sonhei que perdi todos os meus dentes, um a um. O que isso representa?", indagou o rei ansioso.

"Ah, isso é um ótimo augúrio!", respondeu o segundo sábio.

"Como assim?!?", replicou o rei, com um ar perplexo.

"Nosso rei terá longa vida pela frente. Sua Majestade vai sobreviver a todos os seus parentes e entes queridos!", exultou o segundo mestre, com um largo sorriso nos lábios.

Como puderam ver, os dois sábios transmitiram a mesma mensagem ao rei, mas de formas bem diferentes.

A boa e verdadeira comunicação, verbal ou não, estabelece e consolida bons relacionamentos. Entre amigos, parceiros, colegas, amantes, parentes e nações. O diálogo é o canal de duas mãos que une as partes em comunhão.

Comprometimento

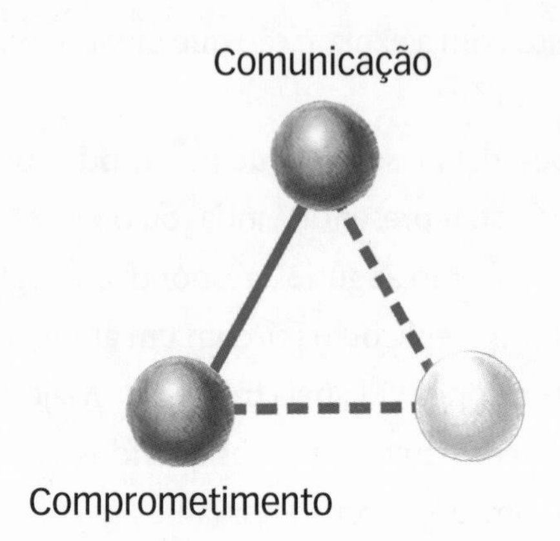

Com dedicação e especialização, os bons comunicadores aprendem a ajudar seus grupos quase que em tempo real. Já têm o contexto, conhecem-se a si mesmos e os códigos de sua equipe e fazem ilações rápidas para chegar às soluções mais adequadas aos problemas. São gentis, diretos e objetivos.

Por isso, valorizam as informações repassadas para o seu grupo. Com o tempo, claro, se destacam. Merecidamente, pois agregam eficiência na análise e solução dos problemas comuns e, mesmo quando têm de ir contra a corrente, mantêm-se decididos na defesa de suas posições. E fazem questão de explicá-las, demonstrá-las e melhorá-las com paciência.

Por serem profissionais com quem todos aprendemos a contar, transformam-se em representação viva do segundo C de nossa trilogia: o **comprometimento**. Esses profissionais participam das soluções dos desafios da equipe e ajudam a analisar os problemas, com a prevenção de pequenos desvios que podem, eventualmente, resultar em prejuízos futuros. Estão sempre alertas.

Cabe a quem sabe se comunicar e está comprometido com as estratégias adotadas ter a missão da corporação na ponta da língua. São profissionais que se identificam e vinculam a alma da companhia em suas falas, memorandos, e-mails e relacionamentos. Dentro e fora da empresa.

A etimologia do verbo comprometer indica que a palavra significa "fazer uma promessa com", ou seja, empenhar-se, obrigar-se, pactuar, hipotecar. É o que traduzimos como estar no mesmo barco. Por isso, os atletas em competições de remo atuam comprometidos com os objetivos da equipe. Todos remando juntos e solidários. Não conseguimos imaginá-los remando contra seus parceiros ou fora da cadência ou do ritmo da equipe.

São essenciais a tal ponto que muitas empresas correm sérios riscos ao demitir pessoas que condensam em sua vida profissional os valores intangíveis da empresa – sua missão, seu estilo de atendimento e de relacionamento com fornecedores e clientes.

Confiança

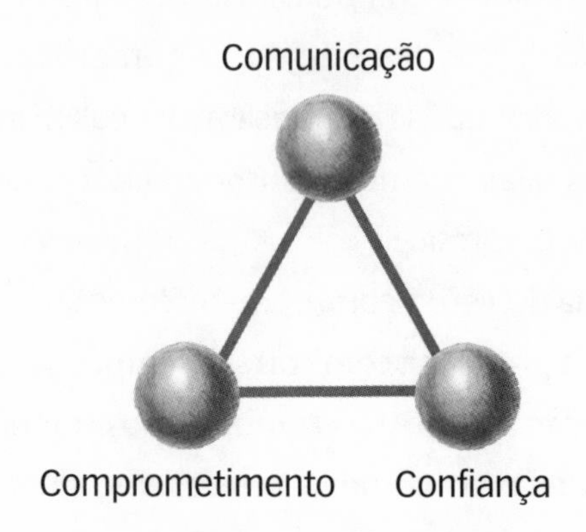

Quem tem o dom de se comunicar tende a ocupar as posições de sustentação aos colegas de trabalho ou de parceiros da empresa. São pessoas que ajudam seus aliados a conseguir o melhor resultado, com o menor custo, no prazo mais curto.

Valem o quanto pesam para a organização e, nem por isso, exigem posição de destaque. Porque não têm necessidade de se impor por meio de diplomas, títulos ou discursos. Cumprem seu papel com naturalidade e se transformam numa referência latente e constante.

Ganham o que chamo do terceiro C de nossa trilogia, ou seja, a **confiança**, que deriva do verbo em latim *fidere* – fiar-se, ser digno de fé. Quando se tem fé ou confiança em alguém, dispõe-se a vender a crédito a esta pessoa. Quando identificamos os dignos da nossa fé, confiamos neles por uma questão prática. Vivemos num mundo complexo demais para checar tudo ou analisar os detalhes dos processos em andamento.

Quando os profissionais vestem, ao mesmo tempo, as camisas da **comunicação**, do **comprometimento** e da **confiança**, tornam-se os homens ou mulheres de fé da corporação. Ou da família.

É uma posição à qual você chega ao se dedicar às pessoas que fazem parte do seu grupo. Na sua família, na comunidade e na organização. Mas lembre-se de que você será avaliado não apenas pelo que fala, mas principalmente pelas ações e pelo comportamento.

A comunicação não-verbal é que legitima a comunicação. Muitas vezes, as pessoas falam uma coisa e praticam outra. Ou manifestam verbalmente uma idéia e não a confirmam com o corpo inteiro. E a audiência percebe essa contradição entre o discurso e a prática.

Foi realizada nos Estados Unidos uma pesquisa para verificar o grau de confiança que os profissionais do mercado despertavam, ranqueando-os de "os menos confiáveis" até o topo da lista de "os mais confiáveis". Adivinhem o resultado...

As pessoas tendem a desconfiar dos políticos e geralmente os colocam entre os últimos lugares. Mas os vendedores de carros usados ganharam o destaque nesta pesquisa americana dos "menos confiáveis".

O profissional que merece mais a nossa confiança, de acordo com a pesquisa, é o barbeiro ou o cabeleireiro. Porque só usamos os seus serviços por confiar neles, em primeiro lugar. Mais do que a gentileza, a confiança. Mais do que nos ouvir, a confiança. Mais do que nos fazer um resumo das fofocas das vidas dos artistas, a confiança. Que se traduz no toque sutil, no cuidado em interagir com nosso corpo. Por isso é difícil trocar de barbeiro ou cabeleireiro. Eu mesmo vou ao mesmo barbeiro há 15 anos.

Pontos para Reflexão

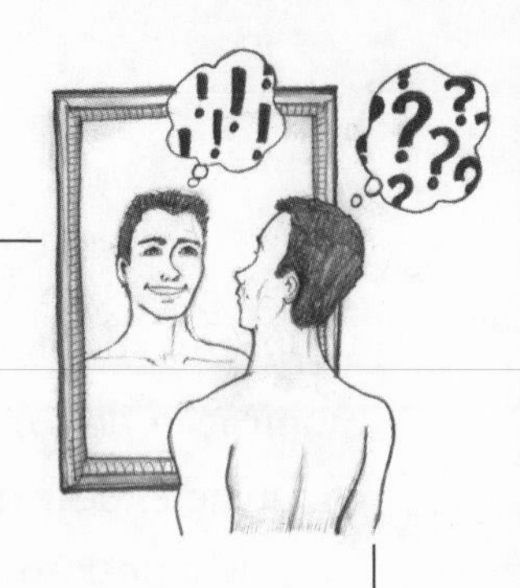

Pontos para reflexão – Trilogia dos 3 Cs – Comunicar é uma arte que, ao ser exercitada e refinada, permite a você vincular-se aos seus semelhantes, em quaisquer projetos. E o premia com a confiança deles, se souber demonstrar de corpo inteiro o seu comprometimento.

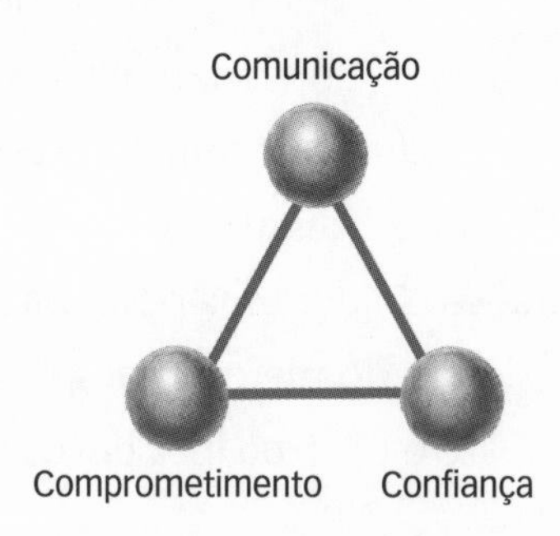

- **Comunicação** – A arte da comunicação se aprimora quando aprendemos a observar nossos interlocutores, a platéia, o ambiente, o momento e a *body language* das pessoas com quem interagimos. Pense, observe, ouça duplamente, e só depois fale.
- **Comprometimento** – É a ação de fazer uma promessa para alguém, empenhar-se integralmente, obrigar-se com a pessoa ou com a causa. Em todas as ações devemos verificar se todos se comportam como se estivessem no mesmo barco, que é uma das melhores imagens de comprometimento.
- **Confiança** – Você pode não confiar num vendedor de carros usados, mas confia plenamente no seu barbeiro (ou cabeleireiro). Você está mais para barbeiro (cabeleireiro) ou para vendedor de carros usados junto às pessoas com quem interage?

A TRILOGIA DO TRABALHO

Como assumir o controle de sua carreira, tornar-se essencial para as organizações e de quebra manter seu equilíbrio.

Carreira feita às apalpadelas

Posso pegar aleatoriamente qualquer currículo e verei, com raríssimas exceções, que a maioria dos empregos foi obtida de forma reativa. Provavelmente foi anúncio de jornal, ou convite de ex-chefe ou indicação de amigo, ou chamado de headhunter. Você reagiu diante da oportunidade abanada. Portanto, foi reativo. É muito raro alguém dizer: "Quero trabalhar nesta empresa com esta pessoa fazendo isto". Ou seja, ser pró-ativo.

Apesar de termos dois olhos e um cérebro para analisar o que vemos, andamos meio às cegas pelo mundo. Repetimos, no mercado de trabalho e na convivência social, comportamentos aleatórios, comandados por influências externas e necessidades de curto prazo. Tornamo-nos reativos.

Você sai da faculdade às apalpadelas. Espera se encaixar na função associada com seu diploma, mesmo sem ter muita certeza do que terá de realizar profissionalmente. Continua reativo.

Quando cai uma vaga no seu colo, você, claro, fica até feliz no momento. Mas só terá condições de avaliar o impacto da função na sua vida, para o bem ou para o mal, anos depois.

Ao se deixar levar pelas circunstâncias, você corre o risco de deixar sua vida ser determinada pelas suas funções ou pelo cargo que o "achou". Lembre-se de que a melhor época para estar atento e procurar oportunidades no mercado é justamente quando está empregado. Suas chances de atração e seu poder negocial são bem maiores.

Por isso, ao nos vincular ao mercado de trabalho, um dos aspectos que deve nos ocupar, estrategicamente, é a **descrição do cargo**, que as empresas multinacionais chamam de *job description*.

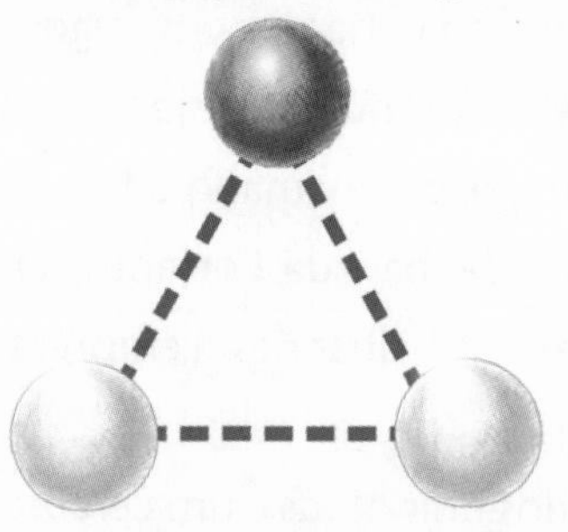

Se você pretende adotar uma postura pró-ativa e participar da montagem de sua própria vida, sugiro que, ao se lançar no mercado de trabalho, faça o óbvio, a seu favor: assuma seu projeto de vida.

Lembre-se de quando era criança e tentava responder às indagações dos adultos: o que vai ser quando crescer? Tente responder a essa questão agora, adulto, no controle de sua vida. E seja lá o que tenha decidido, mantenha essa determinação em sua perspectiva, em médio e longo prazos. Você pode segui-la ou não. Mas terá uma referência, que foi elaborada com sua iniciativa.

Diante de uma proposta de emprego, avalie se as tarefas previstas para o cargo são mais desafiantes, mais abrangentes, mais interessantes do que as que você desempenha atualmente. São propostas que vão ao encontro das minhas qualificações? A posição me oferece a oportunidade de evoluir, aprender, crescer? Analise todos os contornos e questões referentes ao cargo e à posição, tais como o organograma da empresa e da área, as responsabilidades inerentes ao cargo, as qualificações exigidas agora e no futuro, quantidade de viagens, conhecimento de línguas, capacitação técnica e pessoal, objetivos e metas a atingir, etc.

Cuidado com o passivo

A análise vale até mesmo quando você está desempregado. Entrar para uma corporação só porque está disponível, sem analisar as afinidades emocionais e pessoais, significa assumir um passivo que fugirá ao seu controle bem mais cedo do que você imagina. Mesmo que você o faça por necessidade imediata, deve considerar sua escolha como uma parada no meio do caminho, na sua longa estrada da vida.

As perguntas que precisam ser respondidas são: As atividades me deixarão mais realizado? Vou poder exercer meu potencial? Vai agregar valor para mim/para o mercado? Quais as possibilidades de ascensão profissional? Se você conseguir antecipar afinidade e alegria ao responder a algumas dessas questões, mostra que não está entrando às cegas na interação com a futura empresa.

Conheça bem a empresa

Ao agir como uma pessoa de visão, é muito importante que considere a **empresa**. Afinal, você passará boa parte do seu dia naquele ambiente. Avalie, cuidadosamente, o empregador e sob vários ângulos. Essa empresa tem os mesmos valores nos quais eu acredito? A cultura da empresa valoriza aquilo que eu valorizo? Se for possível, tente descobrir e até interagir com seu futuro superior hierárquico. As químicas batem? Ou exigirá, de sua parte, adaptar-se ao estilo dele (ou dela) para desempenhar sua função? Como é o ambiente de trabalho?

Você merece trabalhar com alegria

Muita gente acha que arrasta o corpo para os escritórios, registra de alguma maneira sua presença, cumpre o horário e volta livre para casa, após o expediente.

Isso é trabalhar e viver sem integridade e alegria. Você não merece isso.

Principalmente nesta etapa histórica em que vivemos, em que podemos escapar, na maioria das funções, da opressão das máquinas. Temos a oportunidade de assumir funções para as quais possamos nos entregar de corpo e alma. Sendo exigidos, mas ao mesmo tempo liderando pessoas. Interagindo, criando resultados. Vivemos a época histórica que nos fornece todas as condições objetivas de nos tornar plenamente humanos. Depende apenas de você aproveitar essas condições.

Entre identificar e assumir a nova oportunidade, é importante que você analise os contornos de trabalho futuro. Onde está localizada a empresa? As instalações são adequadas? Qual é o momento que a empresa atravessa? O setor em que ela atua está em expansão? É uma empresa sólida, tem chances de crescimento? Ela valoriza os seus colaboradores? Como é o ambiente interno? E sua imagem no mercado?

Lembre-se de que vai viver ali, literalmente, durante oito a dez horas por dia. De preferência, durante alguns anos. Vai se dedicar àquela organização para buscar muito mais do que o salário mensal. De lá sairão o seu bem-estar e o de sua família. A sua identidade social. A sustentação de seus sonhos e projetos. E até mesmo a convicção para assumir as prestações de seu carro ou de sua nova casa.

É uma série de fatores que devem ser considerados em conjunto (incluído aí se está ou não empregado) se você pretende ter um ganho de felicidade na sua relação com o mercado de trabalho. Acredite, é possível escolher um emprego com integridade que lhe traga também felicidade.

A empresa também o deseja

As empresas agem de maneira meticulosa quando selecionam para uma determinada vaga. Querem saber (e conseguem) o máximo de referências sobre o futuro colaborador: características, qualidades, habilidades de liderança, disponibilidade, criatividade e se é capaz de agregar valor à função disponível. Agem assim porque precisam de você.

É assim também que o candidato pró-ativo deve proceder. Consiga o maior número de informações sobre a empresa antes de fazer sua escolha, se estiver mudando de emprego.

Se é o seu primeiro emprego ou uma vaga que surge após um período de desemprego, continua válida a pesquisa. Faça uma *due diligence* da empresa, investigue-a, porque para esse casamento dar certo, as expectativas das partes devem se equivaler. Além disso, a pesquisa o ajudará a avaliar melhor as chances de crescimento ou de sobrevivência no seu dia-a-dia profissional.

No seu *check-list*, inclua os valores defendidos pela organização. Sua localização, ambiente de trabalho e o momento que a empresa vive, se é ou não de expansão. Registre também as informações que conseguir obter relacionadas com a situação financeira e o estilo de gestão.

Compensação como fiel da balança

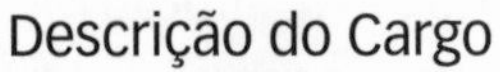

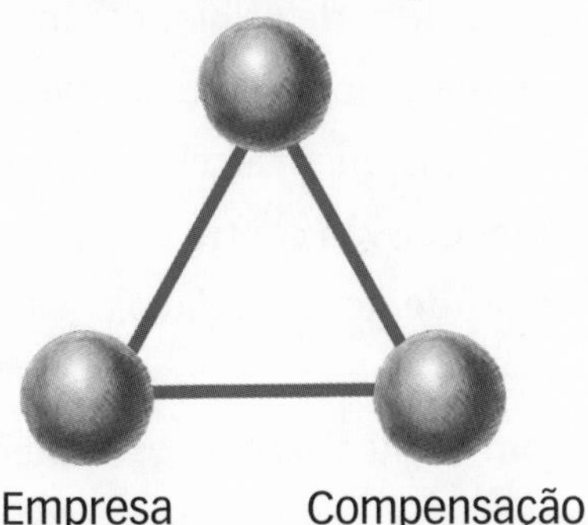

O último item a ser analisado é a **compensação**. É preciso levar em consideração o salário, a remuneração proposta para a vaga ou para o cargo. Quais os benefícios que a empresa oferece? Como se dá a oferta de bônus? Há inclusão no pacote de compensação de lote de ações? E a previdência privada? O seguro de vida?

É claro que esses fatores influenciam uma decisão. Costumo deixá-los por último justamente porque acredito que não devam ser determinantes. A compensação deve ser balanceada com a descrição do cargo e com as questões relativas à empresa.

Decididamente, não será uma boa experiência trabalhar para uma corporação tratando de assuntos que não domina ou que lhe são desagradáveis. Pior ainda é trabalhar em uma empresa que cultive valores diferentes dos seus, independente da compensação.

Essa identidade entre empregado e empregador é essencial se você quer ter uma experiência profissional saudável, enriquecedora e equilibrada. A compensação, nessa equação, deve contrabalançar sua análise global da situação, sob pena de sacrificar sua realização profissional e comprometer seu desempenho.

A escolha pró-ativa de sua função é importante para não transformá-lo num "abusador de velhinhos". Infelizmente, essa frase é 100% real. Não é abusar dos pais ou dos avós. Refiro-me aos jovens que, ao aceitarem qualquer carreira sacrificada, principalmente exercendo funções que vão contra seus princípios agora, enquanto estão na plenitude de sua saúde, abusam do velho que vão se tornar.

Converso com "velhos executivos" e percebo o quanto foram abusados pelos jovens que foram no passado. Geralmente, o abuso começa, segundo me contam os "velhinhos" (com idades entre 45 e 55 anos), quando desrespeitaram a própria intuição, fizeram escolhas erradas e perderam a oportunidade de uma carreira que lhes garantisse uma vida saudável. Lá atrás.

Por isso, digo aos jovens: cuide de si mesmo, invista no seu aprendizado, zele pela sua saúde, aprenda línguas, adquira experiências e aumente sua auto-estima. AGORA! Senão, o velho que você vai se tornar se arrependerá, tarde demais, do tratamento que recebeu (ou deixou de receber) de si próprio na juventude. A vítima será você mesmo.

Nunca é tarde para ser feliz

Em qualquer idade você pode assumir o controle de sua vida profissional. Com mais experiência terá seu conhecimento até mais valorizado, se souber vendê-lo com convicção. As organizações modernas querem uma pessoa, como você, capaz de inspirar equipes, que mantenha o foco na integridade do grupo e que tenha aprendido, na prática, que gente feliz gera mais lucros.

Há uma necessidade também de profissionais que tenham a convicção típica daqueles que, como você, se conhecem muito bem. E a partir do autoconhecimento desenvolveram uma autoconfiança genuína, que lhes permite interagir com as demais pessoas da equipe sem criar problemas de ego e, portanto, são capazes de obter resultados com o menor custo no menor tempo.

Sim, a preocupação com resultados continua a existir. É totalmente válida e fundamental. Mas a pressão por conseguir resultados melhores que os da concorrência num tempo menor é ainda mais premente. E só mesmo uma pessoa que tenha sua autoconfiança à flor da pele, que motive e inspire, conseguirá ter um custo-tempo que, além de torná-lo competitivo para as organizações, torna inadiável sua contratação.

Ao desistir de ser um "abusador de velhinhos", repense, pois, os valores agregados ao seu desempenho como profissional e como pessoa. As organizações mais qualificadas precisam de você. Principalmente por não estarem dispostas a ter de encontrá-lo no mercado como um concorrente. Mas, se não lhe deixarem alternativa, quem sabe não seria hora de agradecer ao Universo e assumir sua missão?

Enquanto se tornar uma pessoa que investe em si mesma e a cada etapa da vida se conhece melhor, o único limite à sua capacidade de realização está nos seus sonhos. Depois de muita dedicação à carreira, às empresas que serviu, às pessoas ao seu redor, você cria uma espécie de conexão universal. Através de você, seu empenho, sua alma posta no gerenciamento, tudo o que tocar aumenta e muito a probabilidade de acerto.

Lembre-se: o verdadeiro talento não precisa procurar emprego ou trabalho; estes vão procurá-lo.

Pontos para Reflexão

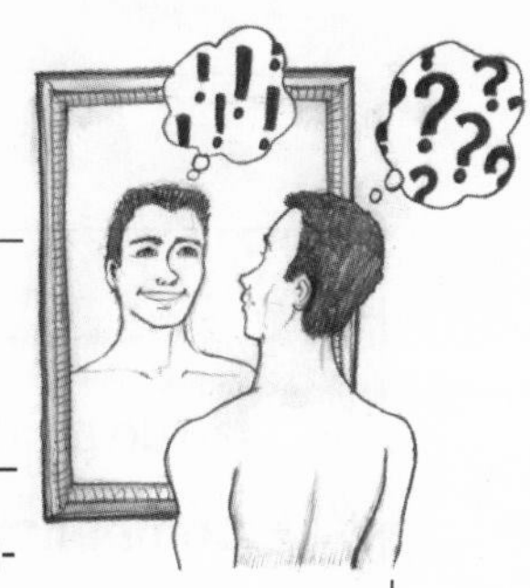

Pontos para reflexão – A trilogia do trabalho – Assuma o leme de sua carreira profissional mantendo sob vigilância a descrição do cargo, a empresa e a bússola da compensação. As organizações precisam de você, principalmente quando percebem que você agrega valor, num prazo rápido, aos projetos que gerencia.

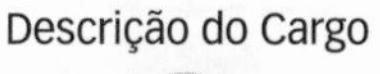

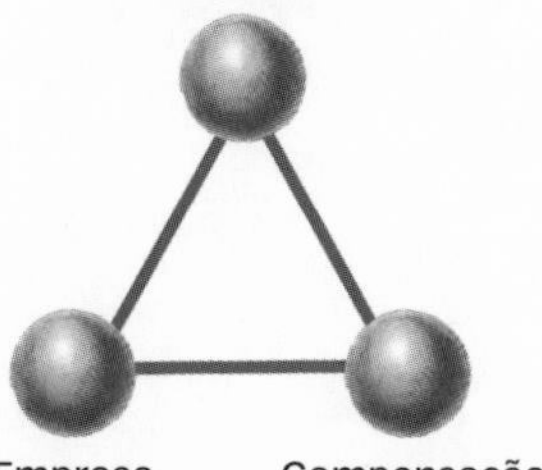

- **Seja pró-ativo** – Você pode escolher onde e com quem trabalhar ao adotar uma atitude pró-ativa, escolhendo e avaliando as empresas em que vai trabalhar.
- **Descrição do cargo** – Verifique, o máximo possível, os contornos do cargo: o desafio, as responsabilidades, as qualificações necessárias agora e no futuro, o organograma, o orçamento, os objetivos a atingir, a exigência de viagens e a fluência de línguas.
- **Empresa** – Da mesma forma que a empresa irá fazer uma investigação da sua pessoa, faça uma *due diligence* da própria empresa: quais são seus valores, sua cultura, sua localização, seu momento atual, planos futuros, atuação dos seus princi-

pais concorrentes, sua imagem externa e interna, estilo de gestão do novo chefe, ambiente de trabalho, etc.

- **Compensação** – É o último fator, mas também importante. Qual o salário mensal e a política de remuneração? Qual o esquema de bônus e compensação variável? Como é o programa de benefícios? Há pacote de ações e *stock options*?
- **Nunca é tarde para ser feliz** – Em qualquer idade você pode assumir o controle de sua vida profissional. Invista em si próprio agora e sempre. Senão a vítima será você mesmo.

A TRILOGIA DO SUCESSO PESSOAL

Como se elevar acima das atitudes medianas em busca do sucesso pessoal.

O sucesso o diferencia

Todos nascemos iguais, diante de Deus e dos homens. Talvez essa seja uma afirmação que tenha valor para todas as religiões e democracias do mundo.

Somos iguais também na hora da morte. Ninguém escapa. Rico ou pobre, branco ou negro, amarelo ou vermelho. Todos terão suas chances neste planeta maravilhoso, até que o último suspiro leve um a um, sem apelação, sem considerar eventuais fortunas ou imensas dívidas.

Mesmo nascendo iguais, durante a vida nos diferenciamos. Mas não muito. Agrupamo-nos em padrões médios. A distribuição de talentos respeita mais ou menos uma média, nas respectivas classes sociais ou profissões.

Transformar as oportunidades em sucesso, contudo, depende quase que exclusivamente da sua vontade, da sua atitude e do seu esforço. O sucesso o diferencia ao ressaltar suas qualidades acima das médias ao seu redor.

Por que o sucesso chama tanta atenção? E por que o fracasso nos preocupa?

O sucesso pessoal eleva a pessoa para o imaginário coletivo dos heróis. A posição que uma pessoa bem-sucedida ocupa no imaginário coletivo é reforçada por manchetes de jornais, entrevistas na mídia e pelo fato de serem sempre consultadas.

Parece que todo mundo quer saber o que uma pessoa de sucesso pensa. Dentro e fora de sua especialização.

Já os perdedores viram fantasmas em nossas vidas. Tornam-se, para muitos, uma premonição das peças que o destino pode aprontar. Tememos nos igualar a eles. Perder amigos, parceiros e, em alguns casos, até a família.

Ter sucesso pessoal ou ser um fracasso são os extremos em qualquer agrupamento humano que analisemos. A grande maioria ocupa a média, mas todos almejam o sucesso.

O mais importante do sucesso é ter a consciência de que "fiz o melhor, procurei a auto-realização, fui atrás das minhas metas, utilizei meus dons, realizei meu potencial e me autovalidei".

Escapar da média

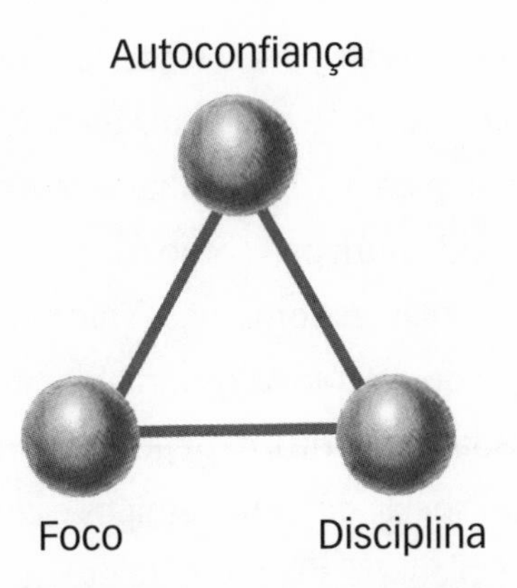

Você pode escolher o sucesso se decidir escapar da média. Cada etapa dependerá de você, de sua **autoconfiança** e, principalmente, de ter o **foco** e a **disciplina** para atingir o sucesso. Que vêm a ser os pilares de sustentação da trilogia do sucesso pessoal.

Quer escapar da média? Então preste atenção aos grupos para captar os comportamentos e as atitudes medianas.

A nossa evolução social está diretamente associada à maneira com que nos relacionamos com nossos pares dentro dos grupos de referência.

Se Pelé tivesse nascido na China

Se um talento para o futebol, equivalente ao de Pelé, tivesse nascido na China, na mesma época em que ele veio ao mundo, seria pouco provável que conseguisse o mesmo destaque mundial. Por quê? Apesar de ter nascido na época certa, teria nascido no país errado. Não teria um grupo de referência para aferir seu excepcional talento.

O mesmo raciocínio vale para Michael Jordan, do basquete. Na quadra, diz Michael Jordan, "é ele, a bola e a cesta". Foco absoluto. Eficiência muito acima da média. Um sucesso mundial. Mas, se tivesse nascido e crescido num país como o Brasil, em que o basquete não é um esporte de massas como nos Estados Unidos, perderia a referência do grupo que o coloca, mundialmente, ao lado de Pelé.

O sucesso pessoal, portanto, depende do grupo de referência. Ou seja, o seu meio social, parentes, amigos e clientes são o terreno fértil onde você plantará sua semente de sucesso. Mas lembre-se de que não basta que a semente seja excelente. Dependerá da disciplina e do foco. Pelé foi Pelé durante três Copas e vários campeonatos à frente do Santos e do Cosmos, nos Estados Unidos. Michael Jordan se repetiu, acima da média, em várias temporadas.

Foco

Foco vem do latim *focus*, que quer dizer lume ou fogo, como um facho ou feixe de raios luminosos paralelos que convergem a um determinado ponto. Isso me faz lembrar uma analogia interessante que ouvi de um palestrante. Digamos que você e eu queremos ir do centro de São Paulo até o bairro de Santo Amaro. Se caminharmos lado a lado, chegaremos ao nosso destino juntos. Caso haja, porventura, um desvio de 1º entre nós no início da jornada, um chegará a Santo Amaro e o outro a Interlagos, bairros bem distantes um do outro. Se não corrigirmos nossas rotas e o desvio de 1º persistir, a caminhada nos levaria hipoteticamente a Madri, na Espanha, e a Casablanca, no Marrocos, respectivamente. Continuando assim, terminaríamos nosso "passeio" com um em Moscou e o outro em Sidney.

Esse exemplo é evidentemente hipotético, mas serve para ilustrar o quanto um pequeno desvio ou a falta de foco pode nos fazer errar completamente o alvo designado. Fique focado!

Você é a semente

Para plantar o seu sucesso, você deve se conhecer profundamente para bem definir o seu foco. Um carvalho não trai sua semente. Como um carvalho, em cada etapa de sua vida, você contagia seu meio, reproduzindo sua essência, seu estilo e suas convicções. Ou seja, exala autoconfiança.

Respeitamos o sucesso pessoal porque, intuitivamente, sabemos que são necessários muita disciplina e foco para obter a contrapartida do nosso grupo de referência. Contrapartida que acontece por meio de atitudes concretas. Se você gosta, compra o produto. Se está satisfeito com o serviço, renova o contrato. Se me disserem que o livro é bom, eu me dirijo à livraria. São atitudes que ajudam a regar e a alimentar a semente. E que socialmente chamamos de reconhecimento ou validação. Ou de sucesso pessoal.

Disciplina

No mundo atual, onde as coisas são cada vez mais descartáveis, os relacionamentos, os empregos, as amizades, os produtos, quase tudo passa uma sensação de impermanência. O emprego não oferece satisfação, desista. O curso está difícil, abandone. O casamento anda periclitante, separe-se. A carreira não anda para a frente, mande tudo às favas.

Mas, para aqueles que não desistem facilmente e têm a disciplina da perseverança, os frutos da persistência podem valer muito a pena. O mundo será daqueles que sabem manter seu foco apurado e sua disciplina firme. Enquanto outros caem pelo caminho, você continua caminhando em estado de equilíbrio dinâmico. Para a frente e para o alto.

Inspire-se no sucesso alheio

A somatória de avaliações do grupo se traduz no reconhecimento de um produto ou serviço. Ou no estilo associado ao desenvolver o produto ou de realizar o serviço. Os exemplos são abundantes.

Henry Ford criou uma revolucionária linha de produção para a sua época, o que lhe permitiu a oferta abundante de carros a preços populares. Ao seu estilo: "Desde que fossem pretos".

Michael Dell, da Dell Computers, desenvolveu o conceito de computadores de mesa *on demand*, entregues diretamente ao consumidor final. Abriu sua empresa antes dos 20 anos com um capital inicial de mil dólares. Implantou seu estilo. Baixou custos e ficou perto da vontade do seu cliente. E construiu uma empresa que supera o faturamento dos 30 bilhões de dólares anuais.

No Brasil, Samuel Klein, das Casas Bahia, focou sua atenção nos consumidores de baixa renda. Criou um império que fatura mais de 8 bilhões de reais por ano, ao oferecer prestações baixas através do crédito emocional aos consumidores de baixa renda.

Como funciona o revolucionário crédito emocional das Casas Bahia?

O "seu" Samuel, como é conhecido pelos seus 40 mil funcionários, faz questão que os clientes sejam tratados por "freguês". Ensina aos seus colaboradores, por meio de treinamento permanente, que cada freguês que entra nas suas lojas traz um pedacinho do seu salário. E estimula os vendedores a se vincular, emocionalmente, ao cliente.

Esse vínculo se materializa através dos carnês com as prestações. Quando uma pessoa de baixa renda compra nas Casas Bahia, o vendedor estabelece uma relação de amizade com ela. O vendedor se envolve pessoalmente na análise e aprovação do crédito. Respeita a origem do freguês. Aceita sua palavra sobre sua renda e condição de pagamento. E se responsabiliza, junto com o freguês, pelo crediário. A cada mês, durante o pagamento das prestações, a amizade se confirma e se amplia. Com uma boa conversa. Ou com a ampliação do crediário.

Chamo isso de **"genuíno interesse"**, a atitude que visa o melhor para o cliente, em contraste a "interesse", que visa o melhor para si próprio. Quando tenho interesse em alguém, o pensamento que predomina é ver o que precisa ser feito para tirar do bolso dele para colocá-lo no meu. Entretanto, quando tenho genuíno interesse, o que passa pela minha cabeça é o que tenho que fazer e dar de mim em benefício do outro. A referência muda de lado. Pais autênticos têm genuíno interesse nos seus filhos.

A ameaça que vem das atitudes medianas

Ao captar os comportamentos e as atitudes do grupo, você vai precisar de muita disciplina e foco para não ser "nivelado pela média". A receita é se manter focado no sucesso, e trabalhar firme para agregar o fator WOW! em tudo o que tocar.

Ser WOW! é se entregar de tal maneira para o seu grupo que você fará a diferença. E ter a convicção de que só fará a diferença se captar as necessidades do grupo antes mesmo que elas sejam manifestadas.

Foi assim que Akio Morita, ex-presidente da Sony, lançou o walkman. Sem pesquisa de mercado. O walkman foi a resposta antecipada à necessidade de milhões de consumidores no Japão e no mundo que queriam ouvir suas músicas em tempo integral.

Sucesso se prova todos os dias

Um equilibrista que atravessava uma corda bamba todos os dias me contou o seu segredo. Antes de atravessar, ele olhava para o outro lado. Com tanta determinação e foco, até se ver no outro lado. Quando se via, atravessava tranqüilo. "Era só ir ao encontro de mim mesmo no outro lado." Isso é autoconfiança baseada no autoconhecimento.

Todos os dias você, que constrói o seu sucesso, atravessa pequenos trechos em corda bamba. Se você se ver como a solução dos problemas de seus clientes, parceiros e amigos do outro lado da travessia, avance e entregue a resposta.

Se tem dúvida, prepare-se melhor. Mas não tema a travessia. Senão será condenado a uma vida mediana. Que pode até ser boa, mas não será o sucesso que você quer construir.

Sucesso não é dinheiro

O sucesso, como a semente de carvalho, está dentro de você. Está vinculado à sua voz interior, ou seja, à sua vocação, ao seu chamado. Muita gente pensa que ter dinheiro garante o sucesso. Ou que buscar o sucesso é conquistar grandes contas.

Se você quer se elevar acima da média do seu grupo de referência, sejam seus colegas de trabalho ou seus concorrentes, aumente o seu padrão de exigência pessoal. Estabeleça um diálogo entre sua vocação e as necessidades, expectativas e desejos dos seus parceiros, amigos e clientes do outro lado da travessia.

Aprenda a modular seu discurso. Só se manifeste após ter ouvido e entendido profundamente o que o mercado transmite para você do outro lado. Siga a receita de ouvir duplamente – o que falam a você e a sua própria voz interior.

Em seguida, entregue-se com toda a sua criatividade. Estabeleça um padrão de eficiência que satisfará em primeiro lugar a você. Dê a resposta que seja única e exclusiva. E prepare-se para começar tudo de novo no dia seguinte.

Ao satisfazer àqueles que necessitam de sua especialização, serviços ou produtos, você se eleva à posição de sublime dedicação humana, que gera avaliações positivas de médio e longo prazo. O suficiente para garantir o seu sucesso. Se o prêmio vem na forma de um sorriso, de um abraço ou na contratação de seus serviços, isso não muda a sua qualidade de ser uma pessoa de sucesso.

Ninguém imagina a Madre Tereza de Calcutá sendo estimulada a viver a vida que teve por benefícios materiais. Nem que um grande líder, como Winston Churchill, pensasse em sucesso pessoal ou em vantagens materiais enquanto liderava a Inglaterra na Segunda Guerra Mundial.

De onde vem a motivação desses líderes? Eles estão a serviço da coletividade, do seu país, de sua pátria, de sua nação. Mas chegaram lá se dedicando às suas famílias, seus vizinhos e sua comunidade local. Com genuíno interesse.

Você escolhe ter sucesso

As pessoas que desde a infância têm a auto-estima estimulada por seus pais, que se tornam voluntárias para resolver os problemas da comunidade e, que dentro de uma empresa, mantêm o foco constante nas insuspeitadas vontades da clientela estão no caminho certo para o sucesso.

Mas nem todos têm a mesma sorte de encontrar um ambiente familiar, comunitário e empresarial estimulante. Mesmo assim, se for esse o seu caso, acredite em mim, você tem como se tornar uma pessoa de sucesso. Desde que faça a escolha. E tenha atitude positiva.

Terá de aprofundar seu autoconhecimento para reavaliar algumas influências marcantes na sua formação.

Ao nascer, mesmo que não se lembre agora, você se viu refletido na sua mãe. Para ela, você era a melhor coisa do mundo. Naquela fase da vida, seu cérebro e seu ego em formação atuavam como buracos negros do Universo, captavam tudo ao redor. E você os usou a seu favor. Ao ver as reações da mãe e sendo refletido nelas, você, com toda razão, cresceu se achando maravilhoso.

Aí tem contato com o pai. "Este garoto vai ser campeão." Pronto. Você passou a acreditar mesmo que era a melhor pessoa do mundo. Mesmo que hoje não se lembre mais dessa sensação.

Cresce e se relaciona com a doce crueldade dos irmãos, colegas e professores. Surgem juízos de valor diferentes: "Você não presta para nada", "Você é um perdedor", "Você é um boçal".

Aqui se situa o ponto de virada da sua vida.

O reflexo que sua alma escolhe como determinante – o que o considerava maravilhoso ou o que o torna um boçal – afetará suas chances de sucesso pessoal.

Vivemos, muitas vezes, como reflexo das opiniões e à imagem dos outros. É preciso descobrir nossa própria identidade, olhar para dentro de nós mesmos e achar a nossa essência, o nosso ser. Aí estaremos completos.

Dentro de nós encontraremos nossa própria luz. O nosso sol. A Lua, com todo o seu mistério, é apenas um reflexo do Sol. E até suas fases são influenciadas pela sombra da Terra. Ação e reação. Yang e yin.

Você prefere ser o Sol ou a Lua?

Instrumento de sucesso

Enquanto nos refletimos nas opiniões das pessoas ao nosso redor, sejam elas pais ou colegas, formamos também o juízo de nós mesmos. Em torno deste "eu interior" é que desenvolvemos o autoconhecimento.

A partir das interações ao longo da vida, você passa a funcionar como um instrumento musical. Dependendo de quem o toca, emitirá o som adequado. Mas não será ainda a sua música. Até que assume a voz interior, ou seja, sua **vocação**, e se torna o compositor e maestro de si mesmo. Sua vocação é seu chamado.

Você estará preparado para tocar para a sua comunidade o concerto que o conduzirá ao sucesso.

O sucesso é garantido compatibilizando seu trabalho com seus valores

Mantida sua trilogia do sucesso pessoal, você se torna naturalmente autoconfiante, focado nos seus objetivos e dono de uma disciplina muito acima da média. Atinge o sucesso. É hora de reavaliar o que faz.

Um amigo meu, bem-sucedido dono de duas lojas franqueadas de uma cadeia de *fast food*, me procurou. Estava ganhando muito bem. Era um sucesso sob quaisquer parâmetros. Mas uma sombra o perseguia. E não era o medo de fracassar.

É um homem saudável, praticante de esportes, um triatleta que se alimenta de produtos naturais. E, por conhecê-lo, disse-lhe que estava em conflito com seus valores e estilo de vida e a maneira com que ganha a vida. Caiu a ficha. Não eram compatíveis. Continua a ser um homem de sucesso, mas agora à frente de uma rede de alimentos mais naturais.

Sucesso sem registro

Há homens e mulheres que nem notam o próprio sucesso pessoal. São os abençoados que temos em nosso meio. Almas dedicadas com tal intensidade ao próximo que o respeito e o carinho das suas comunidades garantem o sucesso pessoal. Algo que eles, aparentemente, nem percebem. Estão acima dessas vaidades, como é o caso do Dalai Lama e de Madre Tereza de Calcutá.

Há as pessoas que sustentam o sucesso alheio. Com orgulho. É o pai que sacrifica a vida para que os filhos consigam terminar a faculdade. A mãe que estimula a família nas horas de desespero. Filhos que interrompem carreiras para cuidar da saúde dos pais.

Todos são pessoas de sucesso. E recebem retornos que o dinheiro não consegue medir. Nem pagar. Isso não tem preço.

Um caso de autoconfiança

Nosso filho Arthur quis turbinar seu carro. E veio me pedir ajuda. Quando soube o quanto iria custar, propus a ele um acordo. "Como é que nós juntos vamos fazer isso acontecer? Racho o custo com você."

Três meses depois, Arthur me convidou para dar uma volta no seu carro. Quando acelerou, percebi que o carro era outro. Imediatamente me lembrei do nosso acordo e me preparei para pagar a minha parte.

Arthur foi taxativo: "Você não me deve nada, pai, já fez a sua parte ao me estimular a ter confiança em mim mesmo. Aprendi que, quando a gente acredita nas nossas próprias possibilidades, tudo é possível. Fico muito agradecido".

Fiquei emocionado. Quis saber os detalhes. Arthur arrumou aulas particulares, vendeu um aparelho de som, renegociou os valores cobrados para turbinar o carro. Provou, na prática, que soube aproveitar a oportunidade e sentir o poder da sua própria autoconfiança. O diferencial entre o sucesso e o insucesso está em nós mesmos. A autoconfiança baseada no autoconhecimento.

Pontos para Reflexão

Pontos para reflexão – A trilogia do sucesso pessoal – Autoconfiança, disciplina e foco formam a têmpera de sua determinação transformadora rumo ao sucesso pessoal.

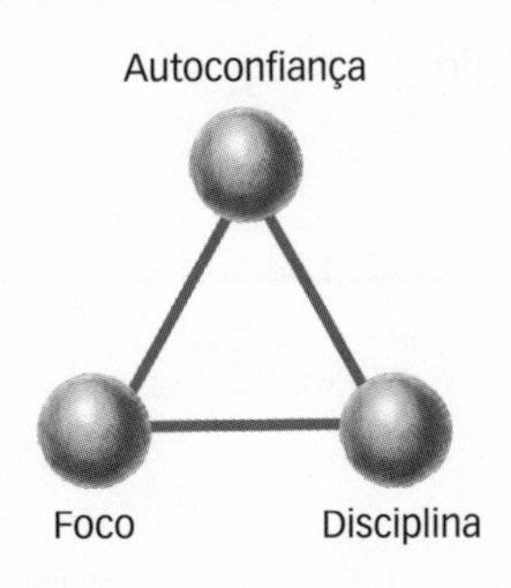

- **O sucesso o diferencia** – Transformar as oportunidades em sucesso nos eleva acima da média.
- **Inspire-se no sucesso alheio** – Tenha sempre um exemplo a ser seguido ao seu lado, no seu ramo de negócios ou na história de vida de grandes líderes. Estes possuem genuíno interesse, que visa o melhor para os outros, antes dos benefícios e resultados para si próprio.
- **Autoconfiança baseada no autoconhecimento** – Fundamental para o sucesso, pois a autoconfiança não fundamentada no autoconhecimento é loucura, alucinação, delírio. A pessoa assim pode estar tentada a fazer coisas para as quais não está apta, mas pensa que está.

- **Foco** – Um pequeno desvio pode acarretar uma imensa diferença no objetivo final, se não for devidamente corrigido a tempo. Fique focado!
- **Disciplina** – A disciplina é uma característica em extinção. Num mundo cada vez mais descartável e impermanente, o indivíduo que mantém sua disciplina e persistência irá mais longe. Tenha disciplina!

A TRILOGIA DA PROMOÇÃO

Como conquistar uma vaga e, ao se tornar substituível, preparar seu acesso a funções mais complexas e desafiadoras.

A vaga é a sua oportunidade

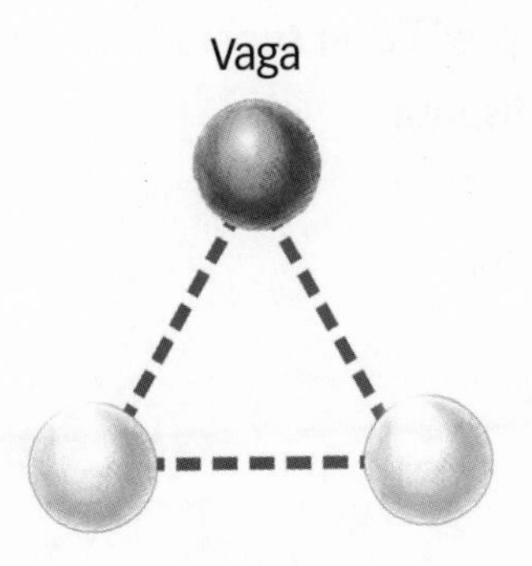

Você se preparou a vida inteira para a **vaga** naquela empresa. Mesmo que não soubesse que a posição estivesse em aberto, até recentemente. Você a conseguiu na disputa com outros profissionais quase tão competentes quanto você em cada etapa de sua formação ou de sua carreira. Por mais breve que ela ainda seja. Por estar preparado, venceu. A vaga agora é sua.

Uma avaliação de seu empenho para merecer a função o levará, muito provavelmente, a uma recomposição de seu *know-how* e *know-who*. Ou seja, a partir de uma combinação de sua especialização (*know-how*) com sua agenda de relacionamento (*know-who*), você hoje balança o crachá no peito.

No início da carreira, você, ainda aprendiz, conhece pouco o mercado. Portanto, torna-se um esforçado vendedor de si mesmo. A cada oportunidade reafirma suas habilidades. E cria vínculos.

De vaga em vaga, de curso em curso ou de posição em posição dentro das empresas, você atinge, hoje, por mérito próprio, dedicação ao trabalho e um pouco de sorte, a atual posição. E, dependendo da função descrita no seu crachá, mostra que você conhece bem as nuances de sua profissão e tem um bom relacionamento com o mercado. A prova é ter superado concorrentes para a mesma posição nessa disputa.

Qualificação e reconhecimento

Atinge a fase em que o mercado o percebe e reconhece suas **qualificações**. Caminha, pois, para se tornar uma referência, um guru no próprio meio. Em que será respeitado por combinar o relacionamento interpessoal com o reconhecimento dos seus pares e por transformar cada desafio em oportunidade.

A partir desta vaga, surgem novos desafios e oportunidades para você, no universo da nova organização.

Desde o primeiro instante na posição, descortinam-se situações com as quais está acostumado a lidar. Uma delas é se encaixar no cargo e executar suas funções por obrigação e necessidade. É uma atitude reativa que garante certa segurança, mas por ser de baixo risco, atrapalha seus sonhos de promoção ou de aumentos salariais.

Se quiser justificar sua atitude reativa, você se valerá dos medos virtuais. "Estou com filho pequeno e preciso me manter nesse emprego", por exemplo. Se o medo e a insegurança são percebidos (e são), você terá uma convivência instável na empresa. Distante das promoções, principalmente, pois será preterido por outros profissionais mais agressivos.

Se sua decisão é escalar cada etapa da carreira, você fixa suas atenções nas funções de maior complexidade e cada gesto seu mostra aos colegas a dedicação e a vontade de transformar sua atual função em acesso a outros desafios da companhia.

É uma atitude pró-ativa que requer muito mais que boas intenções ou boa conversa.

Para convencer seu ambiente de trabalho, você deve atingir aquele estágio em que o seu autoconhecimento salta aos olhos de todo mundo através de sua autoconfiança e auto-estima. Sua linguagem corporal confirma seu discurso. Suas atitudes ajudam as pessoas a se inspirar, pois vêm ao encontro das expectativas captadas por você junto a elas mesmas, parceiras, clientes e chefias.

A visão

Você adquire a estatura de um líder de pessoas, ao mostrar, na prática, para sua equipe, parceiros e clientes que não confunde objetivos com desejos.

Marina quer comprar um apartamento. Wagner quer ter uma empresa de software. Por mais que esses exemplos se pareçam com objetivos, são apenas desejos.

Para ser um objetivo, você tem de qualificar ou quantificar e determinar um prazo para atingi-lo. Não é simplesmente perder peso. Não é ficar rico ou querer subir na empresa. Ter objetivo é qualificar ou quantificar e dar um prazo: "Quero perder dez quilos em seis meses". Ou "quero ter um milhão de dólares em seis anos".

Ou "quero atingir o cargo de presidente antes dos 45 anos". Os desejos foram transformados em objetivos.

No caso das companhias, geralmente, os objetivos são determinados pela alta cúpula e traduzidos para cada departamento por metas a serem atingidas. Se você quer atingir o status de um líder, tem de vender para sua equipe, além dos objetivos globais da empresa, as metas específicas a serem alcançadas e, mais ainda, uma visão.

Martin Luther King tinha um objetivo. Queria que os negros norte-americanos tivessem os mesmos direitos civis dos brancos. Ele não citava apenas os objetivos "vamos ter os mesmos direitos, vamos parar de ser cidadãos de segunda classe". Ele criou uma visão e expressou-se com a frase: "*I have a dream!*". E defendeu sua visão com a vida.

Você, líder, tem a visão mobilizadora de corações e mentes. Suas chances de sucesso aumentam por ser capaz de ajudar as pessoas a se inspirar. Porque ninguém inspira as pessoas. Inspirar significa "botar para dentro". O primeiro ato que fazemos ao nascer é botar o oxigênio para dentro. Ao expandir os pulmões, ganhamos a vida. É uma ação que vem de dentro para fora, não de fora para dentro. Por isso você não pode inspirar ninguém. Não pode inspirar, pois não pode respirar por terceiros, sejam eles seus filhos, colegas de trabalho ou clientes.

Ao se tornar líder de uma equipe, independente da posição que seu departamento ocupe no organograma, você pode agora sonhar com uma posição mais complexa e desafiadora que a sua.

Está pronto para uma promoção.

Existem, contudo, algumas etapas a vencer.

Uma delas é a existência da vaga. Essa parte é simples, pois você já está inserido na organização e tem informações a respeito da dança das cadeiras. (Se estiver fora da empresa, foi chamado para a vaga por meio de amigos ou um headhunter.)

A outra etapa é saber-se qualificado para a posição. De novo, nenhum problema, pois você investiu em si, preparou-se, capacitou-se. Acumulou novas qualificações, conhecimentos e habilidades.

Você caminha para ter acesso à totalidade da companhia. Assume em pensamento o papel de colaborador e de acionista majoritário no mesmo crachá. Sabe, portanto, das exigências e das condições necessárias para a função.

(Se ainda está fora da empresa, tem vinculações com o mercado que o ajudam a captar a descrição, *job description*, da posição.)

Mas, se estiver dentro da companhia, terá de superar uma grande barreira, que é você mesmo enquanto ocupa, com eficiência acima da média, a atual função.

Um sucessor o torna "promovível"

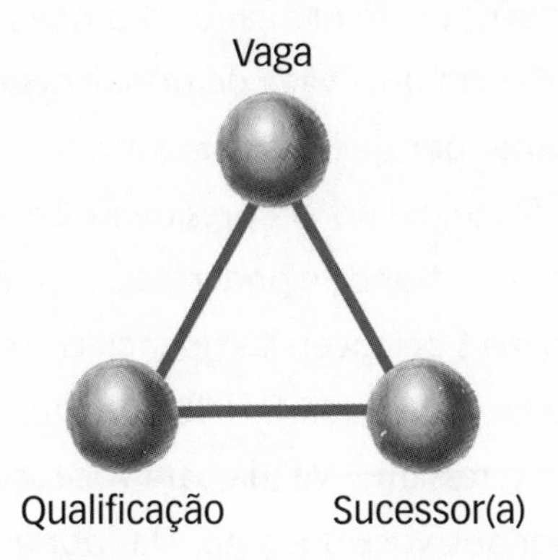

Você identificou e preparou um(a) **sucessor(a)**, alguém à altura para ocupar sua posição? Ou acha que a companhia pode se arriscar a promovê-lo sem ter resolvido quem o substituirá? A frase "ninguém é insubstituível" quer dizer "faça-se substituível". Se não for substituível, não é "promovível". Simples.

É por isso que muitas vezes as companhias preferem manter o profissional na posição e buscar no mercado alguém para a função mais complexa em aberto. Você perde duplamente. Por não ter preparado um(a) sucessor(a), você não foi promovido e, ainda por cima, alguém de fora levou a posição.

Viver, como diz o escritor Guimarães Rosa, "é muito dificultoso". Ocupar uma posição, sobreviver nela e ser promovido exigem um equilíbrio dinâmico permanente.

Há ainda a negociação da nova posição.

À sua frente você encontrará profissionais que já percorreram sua carreira. Se quiser ter chances, deve respeitá-los e ser verdadeiro consigo mesmo.

Veja um exemplo real, válido para a negociação de uma vaga fora e dentro da corporação.

Durante entrevista com um candidato que já havia superado todas as barreiras para uma vaga de presidente de uma multinacional, eu quis saber por que ele estava interessado em trabalhar para a empresa. O candidato era presidente de uma outra multinacional concorrente, grande e poderosa. Ele respondeu: "Robert, não estou vendo mais perspectivas no meu emprego atual".

Resposta válida. Mas errada. Eu falei: "Amigo, você me deu uma resposta muito interessante. Válida para você sair da empresa. Eu não perguntei por que você quer sair. Mas por que quer entrar na outra empresa".

Foi um erro de atitude. Deveria ter respondido: "Olha, é esse o desafio que eu sempre quis ter". A resposta o colocaria dentro da pergunta que eu havia proposto e o vincularia à nova empresa. Desde que fosse confirmada pelo brilho de seu olhar e por sua linguagem corporal. A vaga, muito provavelmente, seria dele.

É como alguém justificar sua intenção de casar com a frase: "Estou cansado de procurar parceiro todo fim de semana". Ou "quero me casar para sair da casa dos meus pais". Ou seja, razões erradas para casar. O correto seria: "Quero casar com essa pessoa para formar uma família". A resposta ideal seria: "Quero crescer e evoluir ao lado dele (ou dela)".

Retornemos, pois, à sua entrevista com seu superior hierárquico. Se você se incluir como resposta nas questões que ele propõe, a vaga muito provavelmente será sua. Terá materializado a promoção.

A cada escalada na corporação, você amplia sua visão do horizonte. Por meio do autoconhecimento e com a autoconfiança adquirida, é capaz de ajudar as pessoas a se inspirar. Mais. Assumir, criativamente, a visão da organização e repassá-la para seus parceiros. E, enquanto mantém um olho na posição que deseja, deve estar preparando alguém para substituí-lo na atual.

O mercado procura pessoas que sejam agentes de mudança. Se você tem essa característica, é alavancado para os níveis gerenciais mais elevados dentro da organização.

Quanto mais horizontes tiver pela frente, contudo, mais longe se espera que você enxergue. Veja o exemplo de um restaurante. Lá você tem o garçom, o maître, o gerente e o dono do restaurante.

O garçom o recebe com um sorriso. É atencioso e, se for um bom profissional, manter-se-á a distância adequada e aparecerá exatamente no momento em que você pensa nele. O horizonte do garçom é a gorjeta. Ele se preocupa em servir bem para receber a gorjeta.

O maître já tem um horizonte mais ampliado. Sua função ao recebê-lo é fazer com que volte, valorizando a sua pessoa e conferindo-lhe o status devido durante a sua estada no restaurante. A tal ponto que você retorne outras vezes ao local. O horizonte do maître é o seu retorno.

O gerente, por sua vez, quer que você divulgue o restaurante para que mais pessoas o freqüentem. Seu horizonte é aumentar o número de clientes que paguem a conta e dêem a gorjeta.

E qual seria o horizonte do dono do restaurante, que muitas vezes fica escondido atrás de uma caixa registradora, monitorando o movimento? Participação na gorjeta? Mais lucro? Que você retorne?

O horizonte do dono do restaurante é o do empreendedor. Seu horizonte é abrir um novo restaurante para um público semelhante, ou seja, multiplicar o efeito deste restaurante em outros pontos-de-venda.

O dono vê o que o maître não vê: outro restaurante. O maître, por sua vez, enxerga muito além das gorjetas do garçom: o retorno do cliente. O gerente enxerga mais clientes como você no restaurante através da sua divulgação "boca a boca". E se um quiser substituir o outro, além das qualificações, terá de assimilar a visão associada aos horizontes de suas funções. A diferença está na **distância da visão**, o quão longe se enxerga.

Podem substituir nesta analogia o garçom pela figura do funcionário-padrão numa empresa, o maître pelo gerente, o gerente pelo diretor, e o dono pelo presidente/CEO.

Portanto, conseguir materializar uma promoção exige que vejamos muito mais que a própria posição a ser alcançada. Você se obriga, também, a ampliar sua visão a cada etapa da escalada.

Muitas vezes é essa visão que você demonstra na prática que o alavanca para a posição. A organização procura agentes de mudança. Quem vê mais longe tem mais chances de se antecipar às necessidades do mercado. E de ajudar a companhia a se posicionar antes da concorrência.

Há profissionais que acham que se tornarão líderes e que ajudarão a inspirar as pessoas depois que assumirem o cargo mais importante da empresa. Na prática, não é bem assim. Se você ajuda a inspirar as pessoas em cada etapa de sua carreira, traduz para cada departamento a visão da empresa e a tempera com sua dedicação está se preparando em cada ato para ocupar o cargo mais importante. E chegará lá.

Aí sim, fará muito mais e em maior escala do que já fazia antes. Ajuda a inspirar seus colaboradores, clientes e fornecedores. Ganha o status de super pró-ativo. Torna-se líder em grande escala, um verdadeiro guru, e ajuda a mudar para melhor o mundo ao seu redor.

Mobiliza pessoas felizes para a conquista de resultados e lucros. Sempre afirmo que, ao contrário do pensamento convencional, não são os lucros e resultados que tornam as pessoas felizes. Mas pessoas felizes é que conquistam lucros e resultados.

Conquista, então, o reconhecimento como pessoa de sucesso. Enquanto, criativamente, mantém sua capacidade de surpreender clientes, amigos e acionistas. Pois você aprendeu que o fator WOW! exige hoje, no topo da carreira, a mesma atitude diferenciada que você tinha lá no início, quando ainda era aprendiz.

Dentro e fora da empresa

Se você acredita que os exemplos discutidos aqui são válidos apenas para as carreiras corporativas, revise a leitura deste livro. Sempre que posso, insisto que as carreiras dependem do conteúdo humano.

No fim do dia, em qualquer organização do mundo, seja uma ONG, um partido político, uma igreja ou nossa família, o balanço dos avanços e recuos é feito por pessoas que "desequilibram através do equilíbrio".

Ou seja, pessoas de tal maneira empenhadas na otimização do sucesso que, ao buscar o equilíbrio, injetam vida em suas organizações, desequilibrando para atingir o equilíbrio. Praticantes do círculo virtuoso do sucesso.

Independente do tipo de agrupamento humano, mantém-se a necessidade dos esforços para a busca do equilíbrio dinâmico entre os mais divergentes interesses. Requer sua participação na execução dos objetivos e o compartilhamento com amigos, parentes e associados da visão que sustenta seus objetivos.

É a condição de plenamente humanos que nos fez evoluir e sofisticar nossa sobrevivência. As carreiras, os crachás, os uniformes são adereços que criamos para controle ou para status. E plenamente humanos buscamos, sim, eficiência. Porque a produtividade de nossas ações sustenta cada passo que damos coletivamente, seja no formato do lucro ou na eficiência na condução de uma ONG.

Servir as pessoas, participar da resposta de suas ansiedades e avançar com o autoconhecimento adquirido e com a autoconfiança resultante para maiores responsabilidades são partes intrínsecas da nossa existência.

A sabedoria vinculada a uma função mais complexa nos premia depois de anos de esforços e dedicação. É a recompensa intangível de nossa entrega incondicional ao aprendizado continuado, enquanto servimos ao próximo como a nós mesmos.

Pontos para reflexão – A trilogia da promoção – A partir da vaga, você tem condições de fecundar uma nova vida entre você e a organização. Provar suas qualificações e avançar na carreira ao preparar seu sucessor.

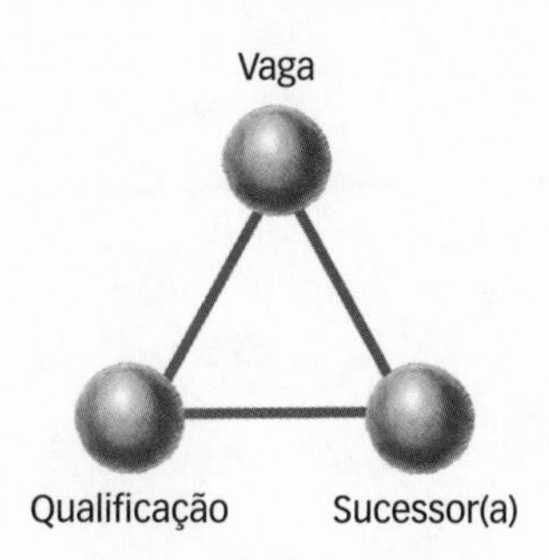

- **A visão** – Adquira a estatura de um líder de pessoas. Aprenda a ampliar e a ver a extensão dos horizontes associados às suas funções, pois a visão é muito maior que um objetivo. Mais que a visão, possua a distância de visão, o quão longe você enxerga em relação aos outros.
- **"Promovível"** – Identifique e prepare seu sucessor ou sucessora. Faça-se substituível para ser "promovível".
- **Desequilibrar através do equilíbrio** – Torne-se um praticante do círculo virtuoso do sucesso.

A TRILOGIA DA ILUMINAÇÃO

Como se tornar uma pessoa que desequilibra, para melhor, todas as ações ao redor por meio da busca permanente do equilíbrio.

O caminho

Ao vincular ao seu Eu as dádivas do seu corpo, da sua alma e da sua mente, você tem a chance rara de atingir a **iluminação**. E, com a iluminação, o Universo conspira a seu favor. É uma tarefa estimulante, pois o prêmio é o sucesso na sua vida pessoal, profissional e espiritual.

Instinto = corpo

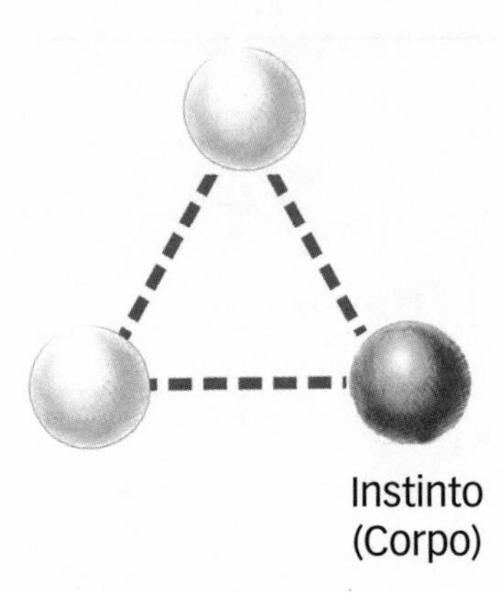

Seu corpo é o seu sustentáculo orgânico e sua vinculação com o mundo. A evolução do Universo inteiro se reproduz no seu corpo, em cada etapa de sua vida. Passando pelo útero, infância, adolescência, vida adulta e velhice.

Do útero, respirando como um ser aquático, você salta a plenos pulmões para a vida em terra firme. Chega chorando e protegido por seu pai e sua mãe. Ao crescer, seu corpo reproduz os saltos da espécie humana. E registra em cada etapa a potência de seus instintos.

Seu corpo é o grande banco de dados de seus instintos. Estão contidos em você, nos músculos, nervos e fibras nervosas todos os sustos que sofremos na época das cavernas, a coragem que nos fez sair da África para ocupar o mundo inteiro e, principalmente, nossos medos e raivas. O **instinto** é, portanto, o primeiro I de nossa trilogia da iluminação.

Do ponto de vista dos seus instintos, hoje, depois de milhões de anos de evolução, o seu corpo ainda desempenha mais ou menos as mesmas funções. Fomos temperados para a luta a céu aberto, a fuga rápida de predadores e a sobreviver mesmo com poucos alimentos.

O mesmo instinto que leva sangue às faces quando você se sente ameaçado, como um reflexo da sua vida no tempo das savanas africanas, e lhe enche o organismo de adrenalina para reagir, hoje talvez faça mais mal que bem.

A adrenalina que seu corpo acumula não é dissipada numa fuga nem na reação a um eventual inimigo no escritório. Atualmente, o inimigo, quando existe, chega diluído em atitudes disfarçadas. Típicas das relações normais, não naturais, misturado às ordens burocráticas. Mas, apesar do disfarce, a ameaça parece real. Nossos instintos enchem nosso corpo de adrenalina. Que fica represada e prejudica nossa saúde. Como não foi usada, ela se dissipa em forma de dores nas juntas e nos músculos.

Mas, quando nossos instintos são convenientemente estimulados e você se vê diante de uma missão transformadora, a boa adrenalina invade seu organismo. Você vara noites em missões de resgate, um cirurgião opera durante 12 horas, uma mãe enfrenta o mundo, se for necessário, para salvar seus filhos.

Somos, felizmente, seres em permanente evolução. E descobrimos ao longo das gerações que precisávamos melhorar o gerenciamento dessa maravilha que é o nosso corpo. Com todos os seus instintos e adrenalina.

Intelecto = mente

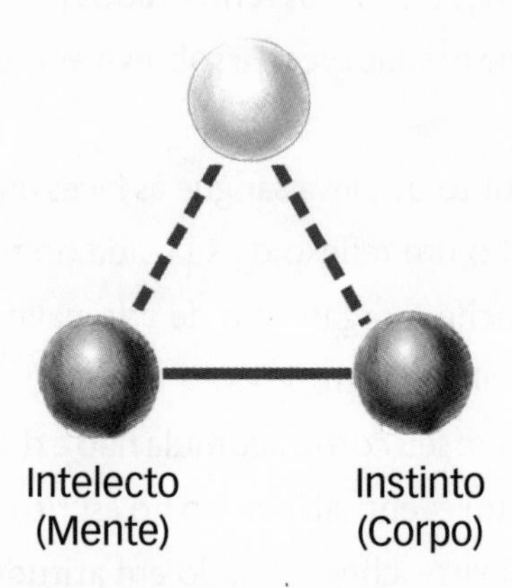

A sobrevivência da nossa espécie, que conquistamos com a ajuda dos instintos, nos fez merecer um cérebro e uma mente poderosa. Da sua mente surge o intelecto, que o faz superar todas as demais espécies vivas. O **intelecto** é, pois, o segundo I de nossa trilogia da iluminação.

O grande salto que seu corpo deu ao incluir a mente na evolução foi a formatação da vida em sociedade. Que também começou primitiva e evoluiu até os refinamentos de hoje, com seus sistemas de produção, de controle e de reprodução de bens e serviços.

Com nosso intelecto ajudamos a melhorar a sociedade. Passamos pelas tribos, pelo refinamento cultural dos gregos, romanos e pela Renascença. Apoiados na razão, melhoramos nossa organização social, que passou pelas monarquias totalitárias e parlamentaristas, pelas ditaduras e pela democracia. Da mesma maneira, registramos em nossa História o escravagismo, o feudalismo, o socialismo e o capitalismo.

Com nosso intelecto interferindo na História, conseguimos, nos últimos 150 anos, uma acumulação de conhecimento e de tecnologia infinitamente superior a todas as demais conquistas que acumulamos durante os cinco mil anos anteriores.

Daí termos gerado uma confiança sem precedentes em nosso intelecto. Aprendemos com a mente a controlar nossas vontades. A levantar um braço para fazer um gesto de paz ou de protesto. A aplaudir um artista. Ou a deixar claro que discordamos de uma performance. Acreditamos, de verdade, que controlamos tudo com nossa mente.

Ledo engano.

O mesmo intelecto poderoso, fruto de um corpo que evoluiu, tem sido vítima de uma sociedade cada vez mais sofisticada e organizada. Uma sociedade que desenvolve mecanismos de pressão e de controle que muitas vezes se vale dos nossos corpos e das nossas mentes.

Individualmente, muitas vezes, nos tornamos impotentes diante de sociedades e organizações que, mesmo tendo sido criadas e apoiadas por nós, passam a nos manipular, ressaltando nossos medos, culpas e temores.

E quanto mais insistimos na racionalidade que nós mesmos ajudamos a consolidar mais vulneráveis nos tornamos ao vivermos em comunidades que realçam nossas inseguranças. Daí surgem as ditaduras, as guerras, a tortura e o terrorismo.

O que nos mostra que há muito a ser feito para completar a grande eficiência histórica que conseguimos ao juntar o corpo e a mente, o instinto com o intelecto. Enquanto existirem guerras, fome e conflitos, medos, angústia e raiva, significa que estamos incompletos e distantes de atingir a iluminação.

Por isso, ainda nos esforçamos muito sem conseguir assumir o controle pleno de nossas vidas. Somos submetidos por organizações que fundamos e perdemos a perspectiva de felicidade que o instinto e o intelecto nos apontam como acertada.

Intuição = alma

Temos dado muita atenção e ênfase ao intelecto que é o I mais perceptível em detrimento ao terceiro I, que considero o mais poderoso dos três Is. É como achar que o topo do iceberg – os 10% visíveis – é o próprio iceberg, e não os 90% não visíveis abaixo da linha d´água. Este I não tão facilmente perceptível chamo de **intuição**.

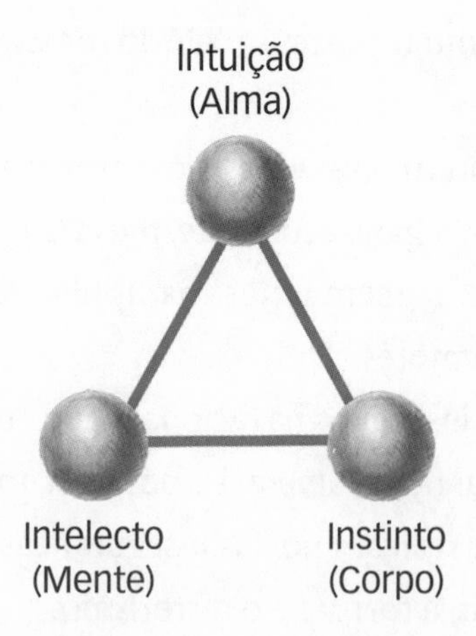

Até que a intuição, que é a manifestação de nossa alma, nos oferece a oportunidade de nos tornar completos e filhos legítimos do Universo. Por isso, a intuição se torna o terceiro I de nossa trilogia da iluminação.

Segundo Carl Gustav Jung, "na intuição, um conteúdo apresenta-se pleno e completo sem que sejamos capazes de explicar ou descobrir como esse conteúdo passou a existir". Quando associa seu instinto, seu intelecto e sua intuição, você avança, aceleradamente, para a sua completitude. E tem a chance rara de atingir a iluminação.

Da mesma maneira que o seu corpo está associado ao seu instinto e sua mente ao seu intelecto, sua alma sustenta sua intuição. Os chineses chamam esta energia vital de *chi*; outros chamam de espírito, fonte de vida, ânimo, essência ou sopro.

A intuição nos torna poderosos, pois é o mais poderoso dos 3 Is. Causa medo aos nossos eventuais opressores. Porque podem aprisionar o seu corpo. As ditaduras costumeiramente adotaram esse artifício. Pode-se manipular o seu intelecto através de ameaças e provocações que causam medo e culpa. Como muitas vezes vemos acontecer em sociedades, corporações e grandes organizações ou autoridades.

Mas sua alma é atemporal. E, por isso, livre. Tudo vê e capta. É mais poderosa que qualquer ditadura.

Sua alma, uma fração de Deus em você, combinada ao instinto e ao intelecto, forma a base para que você se torne um ser humano completo e tenha a rara oportunidade de atingir a iluminação.

Emoção = instinto + intelecto

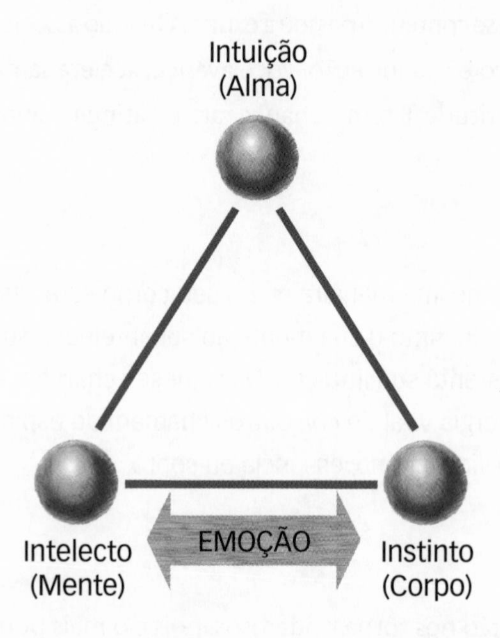

Somos plenamente humanos por causa de nossas **emoções**, que surgem quando nosso corpo (instinto) e a nossa mente (intelecto) se encontram. Nosso corpo, desde tempos imemoriais, registra a fome. Mas apenas quando temos o intelecto em ação e combinamos com nosso instinto de fome é que surge diante de nossa imaginação o esplendor de uma culinária sofisticada. Com iguarias que, mesmo sem serem descritas, já nos fazem salivar.

Infelizmente, o mesmo instinto combinado com nosso intelecto pode também nos levar a emoções negativas, como o medo, a angústia ou a raiva. A mente registra um pensamento, mas ele não sente nada. É através do corpo que as sensações e emoções são manifestadas.

A emoção é um sentimento que tem de sair de dentro de nós para o mundo. A formação da própria palavra "e+moção" significa movimento para fora; portanto, precisa ser expressa.

A emoção se percebe por meio de gestos de carinho e de amor. Por meio de ações concretas pelo bem-estar das pessoas, com gestos de amor e de amizade.

Quando são positivas e extravasadas, as emoções fazem bem para o corpo e para a alma, tanto os nossos como os das outras pessoas. Mas, quando são negativas, ficam incubadas, transformam-se em sensações de vazio, de frustração e de angústia. Podem virar doenças.

Por isso, a melhor alternativa a uma emoção positiva ou negativa é expressá-la. Se está feliz, demonstre-o. Se está com raiva, manifeste seu sentimento. Se está angustiado, diga ao mundo. Se for preciso, conte até dez, mas mostre a seus parceiros, colegas de trabalho, parentes ou amigos o que sente.

Sensitividade = intuição + instinto

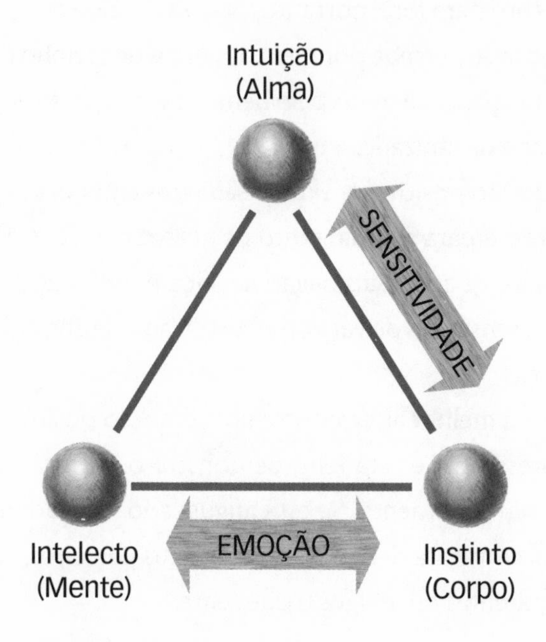

Quando sua intuição (alma), que tudo vê, e seu instinto (corpo), que tudo sente, se encontram, você manifesta sua **sensitividade**. Essa sensitividade pode chegar a tal ponto de energização que você dá um grande salto rumo ao êxtase, um feeling sublime. São raros e preciosos esses momentos, que você registra, por exemplo, durante um ato de amor intenso, a comunhão do sagrado com o terreno, que transcende o orgasmo físico. Parece que o tempo pára. Este momento sublime pode também acontecer no reencontro com um filho, na descoberta de uma vacina, na leitura de um poema. Ou simplesmente quando se encontra com Deus e está em comunhão com as almas.

Com a sensitividade plena, a alma sai do corpo. Você se vê de fora, flutua e transcende às situações imediatas. É através da sensitividade que você tem como captar o sagrado e dar um passo importante rumo à própria iluminação.

Mas na sensitividade também está a origem das nossas depressões, que acontece quando nossa alma está em baixa vibração e o corpo com pouca energia. Se suas emoções são negativas e ficam incubadas, transformam-se em depressão. De novo, insisto, cuide de suas emoções negativas. Evite que cresçam e se transformem em depressão, que é uma espécie de metástase emocional.

Se você quer ver como a alma, a mente e o corpo se combinam, avalie um profissional em processo de desligamento de uma empresa. Quando um funcionário pede demissão, o fato geralmente não me surpreende, pois havia detectado, seis meses antes da formalização da rescisão, que a sua alma já tinha ido embora. Três meses depois, a mente já não está mais ali, nas funções. E no dia em que assina a demissão é, na verdade, um pedido para que se deixe o seu corpo ir porta afora.

Criatividade = intelecto + intuição

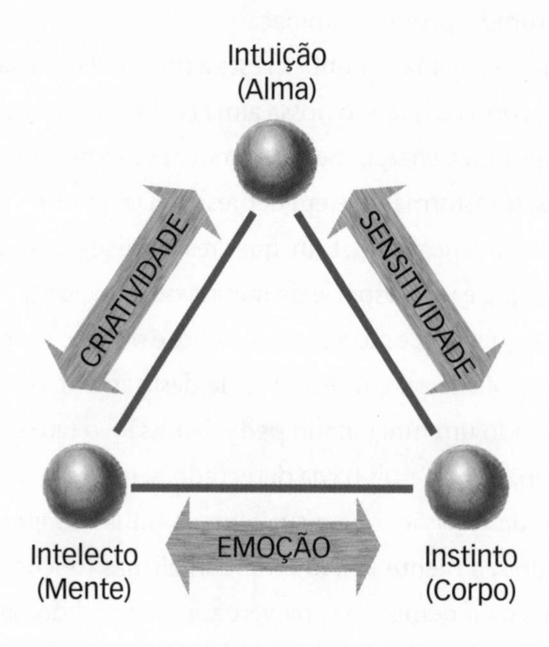

Todas as grandes descobertas da ciência e as grandes obras mestras nas artes, na música e na literatura foram frutos do encontro da intuição (alma) com o intelecto (mente). Não foram resultados de um mero exercício mental. Houve a participação de um nível mais elevado, divino. Por isso, chamo essa junção especial de **criatividade**.

A sua criatividade surge quando, na solução de um problema ou na percepção de um novo negócio, você se iguala aos gênios da humanidade como Shakespeare, Leonardo da Vinci, Newton, Picasso, Vinicius, Tom Jobim, etc.

Os físicos Pierre e Marie Curie, por exemplo, viveram uma vida intensa e criativa. Anos felizes, segundo Marie Curie, em que o casal se viu "imerso numa preocupação única, como num sonho".

Os dois cientistas descobriram dois novos elementos químicos e estabeleceram as propriedades da radioatividade. Por esse trabalho, receberam um prêmio Nobel e a medalha Davy. Justo reconhecimento pela sua criatividade.

É aquele momento – "uma preocupação única, como um sonho" – também raro e exclusivo, em que você, como os grandes mestres e cientistas, combina seu intelecto (mente) com sua intuição (alma). É quando tem o estalo, como Beethoven teve, ao compor suas sinfonias. Realmente ele acontece.

A criatividade está aí, ao seu alcance, exigindo apenas sua entrega incondicional à vida. E, por combinar intelecto com intuição, requer atitudes pró-ativas. Você ampliará sua criatividade ao se inserir como resposta para as dificuldades que surgem ao seu redor, todos os dias. Em vez de transformar uma dificuldade em um problema, com criatividade e a atitude certa, o transforma em uma oportunidade.

Iluminação = emoção + sensitividade + criatividade

Chegamos ao auge da existência, aquele momento único onde os 3 Is – instinto, intelecto e intuição – se encontram em harmonia para formar um quarto "I", o estado sublime denominado **iluminação**. A emoção, a sensitividade e a criatividade reforçam a trilogia. Você atingiu o ápice.

O seu estado de iluminação o coloca em sintonia com o Universo. De repente, toda a verdade, a divindade e a essência de seu ser ficam ali, à sua disposição. Ao alcance, ainda que fugidio, de sua compreensão.

Sim, acredite em mim, ao combinar sua emoção com sua sensitividade e sua criatividade, quando pode atingir a iluminação, você entra em comunhão com o Universo.

Estabelece-se em torno de você o equilíbrio do Universo. É algo que você não procura, mas acha. E, ao mesmo tempo, é uma convergência do Universo que descobre você. Uma convergência de energias que acontece, única e exclusivamente, por sua causa.

Ao atingir o estado de iluminação, você respirará os mesmos mistérios de Buda, Jesus, Maomé, Lao Tsé. Recuperará a magia da criança que existe em você, que aos poucos foi sendo reprimida para que conseguisse sobreviver num mundo que o absorve dividido. Uma criação que o estimulou a usar, de maneira compartimentada, cada uma das suas partes instintivas, intelectuais e intuitivas. Que o prejudicou e evitou que você se tornasse um ser completo e poderoso.

Em estado de iluminação, a criança que existe em você, combinada com suas almas feminina e masculina, recomporá seu Universo. Um novo Universo que, ao ser captado em sua totalidade, conspira a seu favor.

E em equilíbrio você realizará a grandeza de seu potencial. Suas energias física e mental o elevarão ao nível mais nobre da existência. Você terá libertado sua intuição. Sua sensibilidade o manterá em êxtases periódicos. Sua vida será feliz. Você ajudará a inspirar pessoas. Será um líder de sua própria vida.

É esse estado de êxtase que se atinge quando você combina as emoções com sensitividade e criatividade, e que muitas pessoas tentam simular artificialmente, às vezes com bebidas, esportes radicais ou drogas. Atitudes que podem até ser válidas, mas que não se sustentam por muito tempo.

Temos de nos elevar da base do tripé corpo – mente para chegar mais perto do cume, que é a alma, preferencialmente de forma

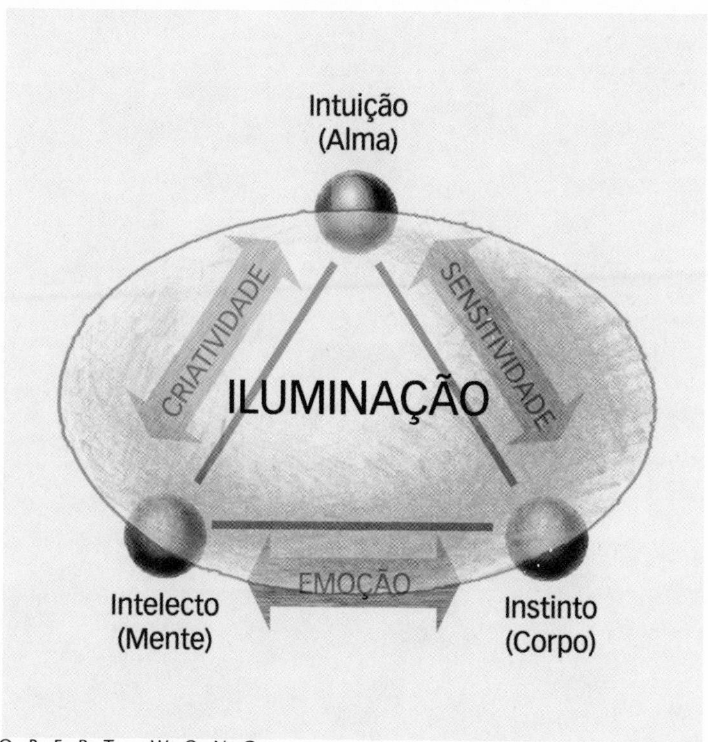

natural. Nos afastamos do nível primitivo das emoções e sensações para libertar nossas potencialidades criativas e sensitivas. Assim, abrimos caminho para atingir a iluminação.

Pois só a sua iluminação conquistada, com sua entrega incondicional à vida, recupera a sua voz interna, a sua vocação. Permite construir o seu sucesso pessoal, profissional e espiritual. E ajuda a inspirar outras pessoas a buscar a própria iluminação.

Em estado de iluminação, você se torna uma pessoa que desequilibra, para melhor, todas as ações ao seu redor pela busca permanente do equilíbrio.

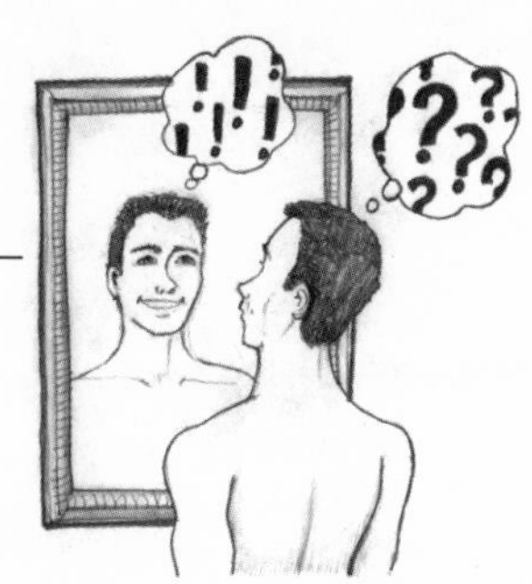

Pontos para reflexão – A trilogia da iluminação – Você é o caminho para se buscar a iluminação. Ao combinar sua emoção com sua sensitividade e criatividade, você atinge a iluminação e entra em comunhão com o Universo, que passa a conspirar a seu favor.

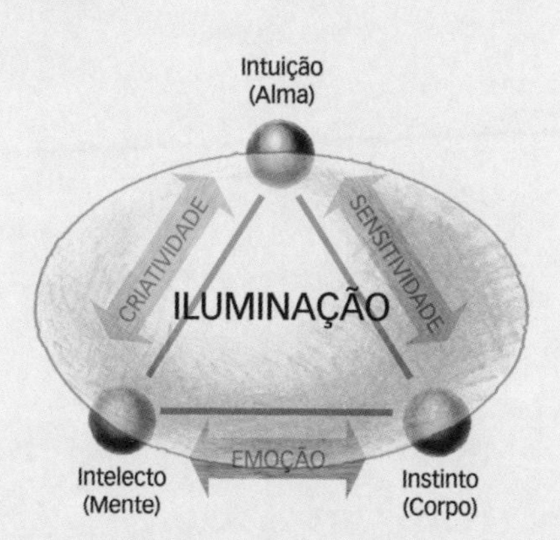

- **Instinto, intelecto, intuição** – Você se torna completo quando seu instinto (corpo) e intelecto (mente) ganham o reforço da intuição (alma). Está preparado para desvendar os mistérios humanos e divinos.
- **Emoção é vida** – A emoção requer um movimento de seus sentimentos de dentro para fora. Sejam emoções positivas de afeto, amor e carinho. Sejam emoções de raiva ou frustração. Expresse-as.
- **Iluminação** – Em estado de iluminação, a criança que existe em você, combinada com suas almas feminina e masculina, recomporá seu Universo. E você atingirá o sucesso. O sucesso com equilíbrio.

Posfácio

Chegamos ao final desta nossa jornada por meio da leitura das páginas deste livro, mas na realidade este é apenas o começo... o começo do primeiro dia do resto da sua vida. Uma vida que espero seja repleta de acontecimentos que incrementem sua verdadeira riqueza, a riqueza da sabedoria. E isso ninguém pode tirar de você.

Para começar a fazer a nossa vida mais significativa e mais plena, devemos começar a ter mais respeito pela própria vida e pelos outros. Como você bem sabe, todas as palavras que começam com o prefixo "re" querem dizer "de novo"; por exemplo, reavaliar a situação quer dizer avaliar de novo a situação, pois a primeira vez que a avaliamos não foi adequada. Refazer o projeto significa fazer o projeto novamente, pois a primeira tentativa não produziu os resultados esperados.

Igualmente, respeitar – que, em inglês, corresponde a *respect* (*re+spect*), ou seja, *spect* de *spectacle*, de vista ou ver – alguém significa ver a pessoa de novo com outros olhos, com olhos mais tolerantes e solidários. Mas, mais importante que o respeito aos outros, é ter auto-respeito, ou seja, ver a si próprio de novo, com outros olhos, mais gentis e conscientes. Dessa forma, estimula-se um retorno a valores universais como respeito mútuo, generosidade de espírito, solidariedade, confiança mútua, convívio harmonioso e amor incondicional. Como conseqüência, poderemos criar relações mais saudáveis, ambientes mais harmoniosos e um mundo mais feliz e genuíno. Nós merecemos.

A decisão é sua. E para tomar decisões, qualquer que seja a sua natureza – mudar ou não mudar, casar ou não casar, comprar ou não comprar, fazer ou não fazer –, deixo aqui uma dica que tem sido muito útil para tomar as minhas decisões. Sempre que eu tinha de tomar uma decisão importante, formulava a pergunta à minha cabeça e fazia o mesmo ao meu coração. Minha cabeça podia dizer "sim" ou podia dizer "não". Da mesma forma, meu coração podia dar uma resposta positiva ou negativa. Se ambos dizem "sim", mande brasa – mude, case, compre, faça. As chances de êxito são muito boas. No outro lado do espectro, se tanto a cabeça como o coração disserem "não", esqueça, ou seja, não mude, não case, não compre, não faça.

E naquelas situações intermediárias em que não há consenso, isto é, a cabeça e o coração divergem? Eu, geralmente, tendia mais à decisão dada pelo coração se ele dissesse "sim". As possibilidades de sucesso eram maiores se meu coração, minha emoção, minha paixão estavam dentro da decisão tomada. Em outras palavras, a emoção, a alma e a garra deveriam prevalecer e falar mais alto que a razão, a lógica, a cabeça. Há inúmeros exemplos desse fato. Trabalhei com uma colaboradora que fumava muito. Ouvindo os conselhos de seus colegas, que diziam que o fumo era ruim para a saúde, poluía o ambiente, era uma forma de queimar dinheiro, etc., ela parava de fumar temporariamente, mas logo voltava ao vício. Parava e voltava. Parava e voltava. Até que um dia ela parou definitivamente. Por quê? Ela engravidou, aí seu coração entrou na jogada e a convenceu de que, se não fosse parar de fumar para si, então que fizesse pela criança que estava para nascer. A emoção (amor pelo filho) prevaleceu sobre a razão (males causados pelo fumo).

Um outro exemplo é o conhecido casamento entre o príncipe Charles da Inglaterra com a princesa Diana. Pela lógica seria o casamento perfeito – jovens, bem-nascidos, ricos, bonitos e famosos –, mas o coração (no início o dele) não estava no relacionamento. Deu no que deu.

O esquema a seguir ilustra este quadro da conjunção mente/alma:

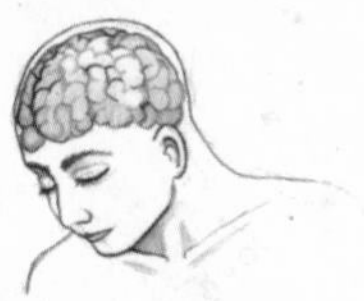

	Sim	Não
Sim	*Mande brasa!*	*Pode tentar!*
Não	*Não vale a pena!*	*Esqueça!*

Ouça seu coração, sua alma, pois eles são os detentores da sabedoria milenar, da verdade que está dentro de você. Em outras palavras, dê mais ênfase à sua naturalidade sobre sua normalidade. Você será o vencedor! Sempre e com WOW!

Código dos Indígenas Americanos

Agora que você terminou a leitura deste livro, espero que você tenha se inspirado, se motivado e se mobilizado para aceitar tudo o que há de positivo e negativo no Universo de maneira equilibrada e saudável. Para reflexão, deixo aqui o *Código dos Indígenas Americanos*. Guarde uma cópia com você e inspire-se sempre que precisar!

1. Levante com o Sol para orar. Ore sozinho. Ore com freqüência. O Grande Espírito o escutará se você ao menos, falar.
2. Seja tolerante com aqueles que estão perdidos no caminho. A ignorância, o convencimento, a raiva, o ciúme e a avareza originam-se de uma alma perdida. Ore para que eles encontrem o caminho do Grande Espírito.
3. Procure conhecer-se, por si próprio. Não permita que outros façam seu caminho por você. É sua estrada, e somente sua. Outros podem andar ao seu lado, mas ninguém pode andar por você.

4. Trate os convidados em seu lar com muita consideração. Sirva-os o melhor alimento, a melhor cama e trate-os com respeito e honra.
5. Não tome o que não é seu. Seja de uma pessoa, da comunidade, da natureza, ou da cultura. Se não foi ganho nem foi dado, não é seu.
6. Respeite todas as coisas que foram colocadas sobre a Terra. Sejam elas pessoas, plantas ou animais.
7. Respeite os pensamentos, os desejos e as palavras das pessoas. Nunca interrompa os outros nem ridicularize, nem rudemente os imite. Permita a cada pessoa o direito da expressão pessoal.
8. Nunca fale dos outros de uma maneira má. A energia negativa que você coloca para fora, no Universo, voltará multiplicada a você.
9. Todas as pessoas cometem erros. E todos os erros podem ser perdoados.
10. Pensamentos maus causam doenças da mente, do corpo e do espírito. Pratique o otimismo.
11. A natureza não é para nós, ela é uma parte de nós. Toda a natureza faz parte da nossa família Terrena.
12. As crianças são as sementes do nosso futuro. Plante amor nos seus corações e agüe com sabedoria e lições da vida. Quando forem crescidos, dê-lhes espaço para que cresçam.
13. Evite machucar os corações das pessoas. O veneno da dor causada a outros, retornará a você.
14. Seja sincero e verdadeiro em todas as situações. A honestidade é o grande teste para a nossa herança do Universo.
15. Mantenha-se equilibrado. Seu mental, seu espiritual, seu emocional e seu físico, todos necessitam ser fortes, puros e saudáveis. Trabalhe o seu físico para fortalecer o seu mental. Enriqueça o seu espiritual para curar o seu emocional.
16. Tome decisões conscientes de como você será e como reagirá. Seja responsável por suas próprias ações.

17. Respeite a privacidade e o espaço pessoal dos outros. Não toque as propriedades pessoais de outras pessoas, especialmente objetos religiosos e sagrados. Isso é proibido.
18. Comece sendo verdadeiro consigo mesmo. Se você não puder nutrir e ajudar a si mesmo, você não poderá nutrir e ajudar os outros.
19. Respeite outras crenças religiosas. Não force suas crenças sobre os outros.
20. Compartilhe sua boa fortuna com os outros. Participe com caridade.

Fonte desconhecida[1]

---

1 Infelizmente não consegui encontrar o nome da pessoa que compilou este maravilhoso código de ética para lhe dar os devidos créditos. Mesmo assim, fica aqui meu agradecimento, de coração.

RR DONNELLEY
MOORE

IMPRESSÃO E ACABAMENTO
Av Tucunaré 299 - Tamboré
Cep. 06460.020 - Barueri - SP - Brasil
Tel.: (55-11) 2148 3500 (55-21) 2286 8644
Fax: (55-11) 2148 3701 (55-21) 2286 8844

IMPRESSO EM SISTEMA CTP